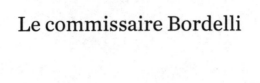

Le commissaire Bordelli

Marco Vichi

Le commissaire Bordelli

TRADUIT DE L'ITALIEN
PAR NATHALIE BAUER

Philippe Rey

À Véronique

Avoir vaincu sur terre suffit aux grillons.

Auteur inconnu du XXIᵉ siècle

Florence, été 1963

Le commissaire Bordelli pénétra dans son bureau à 8 heures du matin, après avoir passé la nuit à se tourner et se retourner entre ses draps trempés de sueur. En cette fin juillet, dans la journée, la chaleur était torride, étouffante. La nuit, l'humidité augmentait, rendant l'air encore plus malsain. Mais au moins la ville était déserte, la circulation inexistante et le silence quasi complet. Les plages, en revanche, étaient bondées d'individus bruyants à la peau abîmée par le soleil. Pour chaque parasol, il y avait une radio, pour chaque enfant un seau.

Avant même de s'asseoir, Bordelli avisa sur sa table une feuille de papier dactylographiée. Tordant le cou, il admira la précision et la rigueur de la présentation : des lignes bien droites et pas la moindre rature. Il découvrit non sans surprise qu'il s'agissait d'un procès-verbal : à sa connaissance, personne, au commissariat, n'était capable d'effectuer un tel travail. Il commençait à le lire quand des coups retentirent à sa porte. La tête ronde de Mugnai apparut.

« Monsieur, M. Inzipone souhaite vous parler.

– Oh, putain... »

Inzipone, le commissaire divisionnaire, avait l'habitude de le convoquer aux mauvais moments. Heureusement, lui aussi s'apprêtait à partir en vacances. Bordelli quitta sa chaise en râlant et alla frapper à la porte du patron, qui l'accueillit avec un étrange sourire. « Asseyez-vous, Bordelli, j'ai quelque chose à vous dire. »

Il s'exécuta sans enthousiasme, tandis que son interlocuteur poursuivait : « Je voulais vous parler du coup de filet de vendredi.

– J'ai fait préparer le rapport hier.

– Je sais, je sais, je l'ai déjà lu. Je voulais juste vous en toucher quelques mots.

– Je vous en prie.

– Je n'irai pas par quatre chemins, Bordelli. Ce n'est pas la première fois que nous avons cette conversation. Vous êtes un excellent policier, mais vous avez une conception de la justice bien à vous.

– C'est-à-dire ?

– C'est-à-dire... il existe des lois, mon cher Bordelli, et les citoyens nous paient pour les faire respecter. On ne peut pas agir à notre guise, décider de les appliquer ou pas.

– Je comprends, répondit calmement Bordelli, qui ne supportait plus ces périphrases, cette façon hypocrite de s'exprimer.

– Au cours de l'opération de vendredi, vous avez laissé échapper un certain nombre de criminels.

– On ne peut pas toujours être parfait.

– Non, non, Bordelli, vous n'avez pas compris, ou plutôt vous avez très bien compris. Vous ne les avez pas laissés filer, vous les avez relâchés après les avoir arrêtés.

– Ce doit être l'âge...

– Un voleur reste un voleur, Bordelli. C'est le tribunal qui se charge des peines. Robin des Bois est un peu démodé, vous ne trouvez pas ? »

Un étrange fourmillement s'empara des mains du commissaire. « Monsieur Inzipone, nous sommes ici pour faire respecter la loi, je le sais bien, mais à ce jour je ne connais pas de loi capable d'assurer la survie de chacun.

– La politique n'a rien à voir dans cette affaire.

– La politique ? Ceux qui ont faim s'en battent les couilles, de la politique.

– Ne soyez pas vulgaire, Bordelli.

– Oh, excusez-moi. Je croyais que la vulgarité était autre chose.

– Il s'agit ici de faire ou de ne pas faire son devoir.

– J'ai aussi des devoirs envers moi-même.

– Je le comprends. Mais vous ne pouvez pas prendre la décision de laisser s'échapper des voleurs !

– Je n'ai pas laissé s'échapper des voleurs, j'ai juste relâché des pauvres types.

– C'est exactement ce que je veux dire, vous ne pouvez pas prendre la décision...

– Je vais vous dire une chose, monsieur Inzipone : depuis mon retour de la guerre, j'espérais avoir contribué à libérer l'Italie de la merde, mais je ne vois que des montagnes de merde partout...

– Nous savons tous que vous avez brillé pendant la guerre, Bordelli.

– Laissez tomber ces conneries. Vous savez aussi bien que moi que la situation a dégénéré depuis.

– Vous exagérez...

– Je déteste les coups de filet, monsieur Inzipone. Ils me rappellent les rafles. Mais, si je suis obligé d'en organiser, je refuse de mettre au trou des affamés. »

Inzipone écarta les bras, résigné. « J'ai déjà dû fermer les yeux de nombreuses fois, avec vous. De trop nombreuses fois, je trouve.

– Que dois-je vous promettre ? D'être sage ? D'être dur avec les pauvres types ?

– Vous avez le don de choisir les mots les plus irritants du dictionnaire, Bordelli.

– Croyez-moi, c'est involontaire. Puis-je m'en aller ? J'ai deux ou trois misérables à pendre. »

Inzipone le dévisagea, la mâchoire serrée. Il se savait impuissant contre les méthodes de Bordelli, parce que c'était un excellent commissaire, parce qu'il était aimé de tout le personnel et parce qu'il avait raison, en fin de compte : il y avait trop de misère.

Bordelli regagna son bureau. Quelques minutes plus tard, Mugnai frappa une nouvelle fois.

« Un café, monsieur ?

– Oui, merci. Dis-moi, qui a écrit ce truc ? » Il brandit le procès-verbal impeccable qu'il avait trouvé sur sa table.

« Un nouveau, monsieur. Il s'appelle Piras.

– Un Sarde ?

– De la tête aux pieds.

– Envoie-le-moi, s'il te plaît.

– Tout de suite ou avec le café ?

– Avec le café.

– Bien, monsieur. »

Mugnai disparut. Avant de se replonger dans sa lecture, le commissaire alla ouvrir la fenêtre et poussa les volets. Comme chaque été, il souhaitait que les vacanciers décident en masse de ne pas rentrer : ce serait la paix pour toujours.

Il retourna s'asseoir et parcourut le procès-verbal. Il concernait un accident de la route. En général, c'était Vaccarezza qui s'occupait de ces affaires mais, en août, le commissariat était à moitié vide. Bordelli se gardait bien de prendre ses vacances à cette période. Il préférait se battre contre les moustiques dans la ville déserte plutôt que de se sentir seul comme un chien dans les lieux de villégiature bondés, en proie à une incessante et mélancolique envie de rentrer chez lui et de retrouver la paix. Voilà pourquoi le procès-verbal d'un banal accident de la route avait atterri sur sa table.

On frappa de nouveau. La porte s'ouvrit. Sur le seuil se tenait un agent inconnu, muni d'une tasse.

« Vous m'avez demandé, monsieur ? » dit le garçon avec un accent typique des Sardes : rythmé, fier, presque agressif.

« C'est toi, Piras ?

– Moi-même.

– Entre… »

Jeune, un beau visage osseux, les yeux noirs, intenses, petit mais bien proportionné, il inspirait la sympathie.

« Mugnai m'a dit de vous apporter ça.

– Merci. » Bordelli continua de l'examiner, tandis qu'il posait la tasse sur sa table. « D'où es-tu ? De quelle partie de la Sardaigne ?

– D'un petit village proche d'Oristano.

– Précisément ? Ne reste pas debout, assieds-toi.

– Merci, monsieur. Je viens de Bonarcado. »

Bordelli se pencha en avant. « Piras de Bonarcado... Ne me dis pas que ton père s'appelle Gavino !

– C'est pourtant bien le cas, monsieur.

– Ce n'est pas possible...

– Ça ne va pas, monsieur ? »

Bordelli fixa un moment le vide, l'air absent, puis ouvrit un tiroir et y fourra les deux mains à la recherche d'un objet, qu'il finit par dénicher. Il le fit glisser vers Piras. C'était une photo. Elle représentait trois soldats en uniforme, tête contre tête, souriants.

Piras écarquilla les yeux. « Mais c'est... c'est mon père !

– Oui, c'est ton père.

– Dans ce cas, vous êtes... vous êtes le Bordelli qui lui a sauvé la vie ! » s'exclama le garçon, plongeant le commissaire dans l'embarras. Incrédule, il continuait d'observer le cliché, un léger sourire sur les lèvres. « Quand je lui raconterai ça...

– Envoie-lui donc cette photo.

– Merci, monsieur. Cela lui fera plaisir. »

– Comment se porte Gavino ?

– Il va bien, monsieur. Il est fort comme un taureau.

– Il ne te l'a certainement jamais dit, car il a toujours été modeste, mais il était un de nos meilleurs éléments.

Je patrouillais toujours avec lui. Il était aussi silencieux et attentif qu'un chat, nous communiquions du regard. Il devinait la présence les Allemands comme s'il en sentait vraiment l'odeur, il voyait les colonnes de blindés nazis avant même que nous les entendions. »

Le commissaire songea au bras que Gavino avait perdu à cause d'une mine, à la fin de la guerre, mais il ignorait comment aborder le sujet. Il aurait aimé savoir dans quelles conditions se trouvait son vieil ami afin de pouvoir éventuellement l'aider. « Que fait-il maintenant ?

– Il est gardien d'école, mais dès qu'il le peut, il file cultiver son lopin de terre et parler à ses animaux.

– Quel genre d'animaux ?

– Des cochons, des moutons, des poules, des lapins et des pigeons, et même une tortue. Il leur parle comme à des êtres humains. »

Bordelli se sentit soulagé. « À l'époque, déjà, il aimait les animaux. T'a-t-il jamais parlé du rat qu'il a trimballé dans sa poche pendant les deux dernières années de guerre ? Il lui avait même donné un nom...

– Oui, Gioacchino. J'avais trois ans quand il est mort. »

Piras avait dix-huit ans. Gavino n'avait pas perdu de temps : à son retour, il avait épousé sa fiancée d'avant la guerre et, n'ayant pas besoin de deux bras pour faire des enfants, en avait eu cinq.

Bordelli eut un soupir nostalgique. Soudain, il se sentait très vieux. « Ton père a le téléphone ?

– Non, monsieur, c'est par l'intermédiaire du curé que j'arrive à le joindre.

– Quand tu l'auras au bout du fil, embrasse-le de ma part et dis-lui que j'aimerais bien le revoir.

– Merci, monsieur. »

Bordelli se dit que revoir Gavino Piras équivaudrait à retourner en première ligne, et cette pensée suscita en lui tristesse et plaisir. Au même moment, une rafale de vent chaud s'insinua dans la pièce à travers les volets, et il devina que son front s'emperlait de gouttes de sueur.

« Revenons à nos moutons, Piras, dit-il en abattant l'index sur le procès-verbal. C'est toi qui as écrit ça...

– Ça ne vous convient pas ? »

Le commissaire se gratta la nuque, puis déclara avec un sourire : « Si, c'est du bon travail. Je parie que tu voulais déjà devenir policier quand tu étais petit.

– J'ai toujours aimé découvrir ce que les choses dissimulent, surtout quand elles paraissent normales à première vue.

– Moi aussi, Piras. Nous sommes deux condamnés. »

Piras esquissa un sourire, mais juste du regard : le reste de son visage demeura impassible. Il ne devait pas rire souvent.

Ils gardèrent le silence un moment, tandis que retentissait au loin une sirène, dont le gémissement se fondit bientôt dans le bourdonnement d'une grosse mouche. Il régnait dans le bureau une chaleur si forte qu'elle semblait ralentir les pensées.

Sentant une goutte de sueur couler sur son visage, Bordelli se ressaisit. « Qu'aimerais-tu faire dans la police ?

– M'occuper de meurtres.

– J'en étais sûr.

« – Il faut que je parte, monsieur. Je suis de patrouille.

– Bonne journée.»

Piras remercia et quitta la pièce d'un pas déterminé, aussi sec qu'il était entré. Bordelli, dont le dos de la chemise était trempé, l'envia de tout son cœur. Se rappelant le café, il porta la tasse à ses lèvres. Il était affreusement tiède, mais il le but quand même.

Rodrigo habitait viale Gramsci, dans le quartier qu'on avait construit au XIXe siècle sur l'emplacement de l'enceinte Renaissance et qui se composait de grandes avenues dépourvues de commerces. Bordelli sonna et attendit. Son cousin, qui travaillait chez lui l'après-midi, avait toujours du mal à s'arracher à son bureau. Il enseignait la chimie au lycée et voyait le monde à travers des formules. Il soumettait ses élèves à quantité de devoirs, qu'il occupait ses après-midi à corriger. Car telle était l'origine de sa vocation : les corrections. Il s'y adonnait sans cesse, y compris au mois d'août, sur des montagnes de devoirs qu'il jetterait au nez des jeunes gens le premier jour de classe, en octobre.

Enfants, Rodrigo et Bordelli se détestaient en silence. Bordelli, qui était l'aîné de deux ans, effrayait Rodrigo par ses grimaces et, les nombreuses fois où ils jouaient ensemble, les coups pleuvaient inévitablement. Dans leur adolescence, ils avaient passé plusieurs étés sur la même plage et partagé, à l'initiative de leurs parents, des parties de pêche au large, au cours desquelles Bordelli rêvait de noyer son cousin. Ils s'étaient perdus de vue à l'âge de vingt ans jusqu'au premier Noël de l'après-guerre. Ils s'étaient alors serré la main et avaient enfin compris qu'ils étaient différents. Ni l'un ni l'autre ne s'était marié : le commissaire, parce qu'il attendait la femme idéale, Rodrigo par peur de la dépense, dans tous les sens du terme. Ils avaient pris l'habitude de se retrouver trois ou quatre fois par an, toujours sans motif, comme s'il leur fallait toucher de temps en temps du doigt leur différence abyssale, ou par amour du défi. Ils se séparaient ensuite, heureux de ne pas se ressembler. Bordelli éprouvait un certain soulagement en constatant que tout le monde n'était pas comme Rodrigo, et Rodrigo déclarait que Bordelli avait une étrange manière de raisonner. Mais ils ne se détestaient plus : ils s'étaient trop éloignés pour ça. En réalité, ils s'étaient attachés l'un à l'autre, malgré eux.

Bordelli sonna une fois de plus. Enfin Rodrigo se montra à une fenêtre du quatrième étage et contempla avec une immobilité polémique son cousin qui l'invitait par gestes à ouvrir. Au bout d'un moment, il disparut et le déclic de la serrure retentit. Le commissaire s'engagea dans l'escalier de pierre, humant l'odeur des meubles et des tapisseries anciennes qui caractérisait l'endroit. Au quatrième étage, il trouva la porte ouverte. Il entra et s'aperçut avec plaisir que l'appartement était frais. Assis dans la salle à manger, un stylo à la main – un stylo rouge, bien sûr —, Rodrigo ne daigna ni le saluer ni détourner les yeux de sa besogne.

Bordelli s'assit donc sur le bord de la table et lança : «Alors ? Comment ça va, Rodrigo ?

– Tu es assis sur les copies que je dois corriger.

– Oh ! pardon. Où veux-tu que je les mette ?

– Si je les ai posées là, c'est parce que c'est leur place», répondit le professeur, les yeux rivés sur le papier.

Bordelli se leva et répara son désordre, puis interrogea d'un ton aimable : « Je prépare du thé, tu en veux ?

– La femme de ménage a nettoyé la cuisine il y a deux heures.

– Qu'est-ce que ça signifie ? Que tu vas cesser d'y manger ?

– Bon, prépare donc ton thé, dit l'homme, magnanime.

– Lait ou citron ?

– Lait.

– Sucre ?

– Pas de sucre. Il y a du miel dans le placard de droite.

– Combien de cuillerées ?

– Deux. Des cuillères à café, bien sûr.

– J'ai tout compris.

– Je souhaiterais un peu de silence.

– Je serai muet comme une tombe. »

Bordelli songea qu'il était étrange d'avoir pour interlocuteur un homme qui corrigeait des formules sans le regarder. Il s'apprêtait à l'ennuyer une fois de plus en lui demandant quelle tasse il voulait, s'il désirait une serviette et de quel genre – papier ou tissu –, quand il se ravisa. Il alla préparer le thé à la cuisine en s'efforçant de la salir le moins possible, puis revint avec deux tasses. Rodrigo n'avait pas bougé. Seul ses ratures au stylo rouge semblaient le satisfaire.

Bordelli posa une tasse au hasard sur la table, au moment même où son cousin barrait la page d'un énorme trait. « Encore une faute ? Grosse ou petite ? »

Rodrigo leva enfin la tête et lui lança d'un ton glacial : « Enlève immédiatement cette tasse mouillée.

– C'est ton thé.

– Enlève immédiatement cette cochonnerie, ça va laisser un rond sur mon agenda.

– Ce n'est rien. De toute façon, tu le jetteras à la fin de l'année. »

Rodrigo poussa un soupir de résignation puis, abandonnant son stylo, essuya la couverture de l'agenda avec un mouchoir en papier qu'il roula ensuite en boule et lança dans la corbeille, sous la table.

Bordelli avait suivi ses mouvements avec curiosité, fasciné par leur précision maniaque. Il le regarda se redresser et étirer les lèvres en un sourire censé communiquer calme et sérénité.

« Pourquoi t'es-tu dérangé ? Tu as quelque chose à me dire ?

– Non. J'en ai l'air ?

– Je m'en fiche. Pourquoi es-tu venu ?

– Pour bavarder un moment avec toi.

– Je t'écoute. »

Rodrigo croisa les bras afin de signifier qu'il suspendait ses corrections. Bordelli s'assit confortablement sur une chaise et, la tasse en équilibre sur une cuisse, alluma une cigarette. « Bon, comment vas-tu, Rodrigo ?

– Éteins immédiatement cette saloperie ! dit son cousin en bondissant sur ses pieds avec une rage contenue.

– Je ne vois pas de cendrier.

– Sais-tu qu'il faut une semaine pour chasser l'odeur de la cigarette ?

– Je te jure que je l'ignorais. » Bordelli aspira goulûment une dernière bouffée et chercha une nouvelle fois un cendrier. Rodrigo s'empara alors d'une assiette souvenir de

Pompéi et la déposa devant son cousin, qui y écrasa son mégot. « Bon... la cigarette mise à part, comment te portes-tu ? Tout va bien ? »

Rodrigo, qui s'était entre-temps rassis à son bureau, semblait maintenant un peu plus disposé à bavarder. « Oui, bien, pas mal. Et toi ?

– Comme une merde, Rodrigo, comme une merde... Oh ! pardon, ce langage te dérange.

– Ce n'est pas grave.

– Oui, comme une merde... J'ai cinquante-trois ans, et il n'y a personne qui m'attend quand je rentre chez moi.

– C'est normal : tu vis seul.

– Ce n'est pas ce que je voulais dire.

– Dans ce cas, pourquoi ne parles-tu pas plus clairement ?

– Seigneur...

– Qu'y a-t-il maintenant ?

– Rien, rien... Et toi, tu es toujours avec cette... comment s'appelait-elle ?

– Quel est le rapport ? Et puis je n'aime pas ta façon de t'exprimer.

– As-tu jamais compris pourquoi tu aimes tant corriger les erreurs d'autrui ?

– Tu changes encore de sujet...

– C'était juste de la curiosité.

– Qu'y a-t-il de mal à aimer corriger ?

– Allez, sois gentil, j'essaie seulement d'entamer la conversation.

– Quelle conversation ?

– Une conversation qui excède deux phrases.

– Il se peut que nous n'ayons rien à nous dire.

– Rien ne nous empêche de nous parler.

– Cette affirmation est absurde.

– Écoute, pourquoi ne me racontes-tu pas... je ne sais pas... ce que tu fais le dimanche, par exemple.

– Je me repose.

– Tu ne corriges pas ?

– Et quand bien même je le ferais... Je ne comprends pas ce que tu veux savoir.

– Rien, je ne veux rien savoir, je te l'ai dit... Je voulais juste bavarder un moment avec toi.

– Hélas, j'ai du travail.

– En août aussi ?

– Exactement, en août aussi. Pourquoi ?

– Rien à dire.

– Bizarre...

– Rodrigo, pour qui votes-tu ?

– Pour qui ça me chante.

– Je n'en doute pas. Mais es-tu satisfait de la situation ?

– Que veux-tu dire ?

– Exactement ce que j'ai dit. »

Rodrigo poussa un soupir de compassion et se mit à jouer avec son stylo rouge.

« L'Italie n'était que blé et moutons... Le bien-être arrive enfin.

– Pour qui ?

– Pour tout le monde. Nous étions un peuple de paysans et désormais nous roulons tous en voiture. » Comme d'habitude, après un départ laborieux, Rodrigo se rattrapait.

« Ah ! la puissance des statistiques... commenta Bordelli. Tu regardes beaucoup la télévision ?

– Pourquoi ? Toi, tu as envie de te faire distancer ?

– Par rapport à quoi ?

– Pour le moment, nous n'en sommes qu'au début, mais tu seras bientôt surpris.

– Je suis déjà surpris.

– Que chacun fasse son devoir, et nous vivrons tous bien.

– Bizarre, je n'aime pas trop cette phrase.

– Tu vois ? Tu ne comprends pas. L'erreur consiste à ne pas comprendre que les lois de la chimie gouvernent tout, y compris l'homme et la société...

– Bref, tout est simple.

– Tu sais, je lis dans tes pensées. Tu fais partie de ces gens qui voient dans la chimie une science froide.

– Ah ! je ne suis donc pas le seul ?

– Vous ne comprenez pas. Il faut, pour toute chose, trouver la bonne formule. Certaines substances peuvent modifier la cohésion moléculaire des autres, certains composés sont inertes jusqu'à ce qu'ils rencontrent un agent qui les fait exploser... Cela n'a rien de magique, tout est gouverné par des règles précises.

– Et que fais-tu du bien-être ?

– Le bien-être est le résultat de nouvelles combinaisons entre des éléments qui ont toujours existé. Ça, ce n'est pas de la chimie ? Notre pays vit un moment important... et les Italiens le savent.

– Les Italiens ? Qu'est-ce que ça veut dire, les Italiens ?

– Comment ça ?

– De quels Italiens parles-tu ? Du notaire qui vit à l'étage au-dessous ou des journaliers de Bari ?

– Tu as toujours la plaisanterie aux lèvres.

– Je ne plaisante pas, vois-tu. De quels Italiens parles-tu ?

– Dis-moi une chose. Comment as-tu atterri dans la police ?

– Au fond, c'est un beau métier. Je me suis fait un tas d'amis en l'exerçant.

– De bien beaux amis... Des voleurs et des prostituées...

– Tu devrais faire leur connaissance, Rodrigo. Ils auraient beaucoup à t'apprendre.

– Tu es fou !

– Bien sûr. Je suis fou parce que je refuse de condamner les pauvres gens et parce que je déteste ce pays ivre de rêves qui croit en la Fiat 1100.

– Quoi ? Tu es communiste ? »

Bordelli secoua la tête. « Pour le moment, j'ai plus de facilité à déterminer ce que je ne suis pas. »

Rodrigo laissa tomber son stylo sur ses copies et dit d'un ton satisfait : « Comme toujours. Tu ne sais pas ce que tu veux.

– C'est possible. Mais un petit État pauvre qui se déguise en riche, je n'aime pas ça. Cela n'entraîne que des problèmes. »

Rodrigo soupira et s'apprêta à reprendre son travail, tandis que Bordelli finissait son thé et glissait une cigarette entre ses lèvres. « Ne t'inquiète pas, je n'ai pas l'intention de l'allumer.

– Je ne suis pas inquiet. »

Se levant, le commissaire se rapprocha du bureau et y appuya les deux mains. « Tu sais, Rodrigo, il existe sûrement une femme qui me correspond... Ce n'est pas de la chimie, peut-être ?

– Je n'aime pas ta façon de le dire.

– Quelle façon ? »

Les lèvres pincées, Rodrigo s'empara d'une copie déjà couverte de rouge et se remit à l'œuvre.

Bordelli consulta sa montre : il avait encore un tas de choses à régler. « Je te laisse travailler.

– J'en ai encore soixante-dix à corriger.

– Un sacré paquet...

– Tu as autre chose à me dire ?

– Laisse-moi réfléchir. »

Il tira de sa poche une boîte d'allumettes qu'il agita à la manière d'un instrument de musique sud-américain.

« Tu fais du bruit !

– Tu sais quoi, Rodrigo ? Un jour, j'aimerais t'amener à la morgue voir les cadavres.

– Ça ne m'intéresse pas.

– Tu as tort. Ils ont un tas de choses à nous apprendre.

– Referme bien la porte derrière toi.

– Rassure-toi, je scellerai tout.

– Salut.

– Salut, Rodrigo. Embrasse tantine. » Le commissaire posa sa tasse sur un paquet de feuilles et abandonna son cousin à ses ratures. Une fois sur le palier, il alluma sa cigarette.

Trois semaines s'écoulèrent tranquillement au commissariat. La chaleur s'était accrue et un air humide stagnait partout en ville. Désormais une odeur de spirales antimoustiques et de DDT imprégnait toutes les habitations. Dans cette solitude torride, Bordelli se livrait souvent à de longs monologues intérieurs, surtout le soir au lit, avant de s'endormir – ou, plutôt, avant de naufrager dans cette espèce de sommeil pénible et rempli de souvenirs qui l'accompagnait tout au long de la nuit. Un état semi-conscient regorgeant d'images superposées, où les souvenirs lointains se mêlaient à des rêveries absurdes et à des saynètes insignifiantes en une répétition obsédante, lassante, qui achevait de lui ôter le sommeil. Alors il se levait, allait boire quelques verres d'eau à la salle de bains, puis regagnait sa chambre et s'allongeait sur son lit. Parfois, incapable de se rendormir, il élaborait des pensées en désordre, tel un singe agité qui saute de branche en branche.

Rosa avait fui la ville. Elle lui avait téléphoné pour l'inviter à se joindre à son groupe d'amies qui se rendait à Forte dei Marmi. La vieille prostituée au repos avait l'innocence d'un petit d'animal.

« Allez, beau commissaire, lâche tout et pars avec nous. Nous sommes trois femmes, toutes amoureuses de toi. »

Bordelli avait inventé de graves problèmes le clouant irrémédiablement en ville : il n'avait pas envie de faire le coq au milieu de trois putains naïves. Rosa avait loué son héroïsme et lui avait demandé de surveiller son appartement. « Tu sais, les voleurs... » Elle se plaignait des temps qui avaient changé : autrefois elle ne courait aucun risque, étant bien connue dans le milieu. Les nouvelles générations de voleurs étaient sans scrupules.

« N'oublie pas les fleurs, chéri, ne les laisse pas crever comme l'année dernière.

– Ça n'arrivera pas.

– Merci, tu es un chou. Je laisse les clefs à Carlino. »

Carlino, propriétaire du bar situé en bas de chez elle, ne fermait jamais son établissement.

«Amusez-vous bien.

– Oh, chéri! Inutile de le dire!» Elle avait claqué une rafale de baisers dans le combiné.

Bordelli se tourna sur le côté et ferma les yeux. Soudain, il revit le corps en pièces de Caimano et de Scardigli, qui avaient sauté sur une mine antichar à cent mètres de lui. Ils n'avaient même pas crié. Il avait fallu aller chercher un de leurs bras sur un arbre. Saloperie de guerre! Le matin, vous partagiez un mauvais café avec un copain, et le soir vous fourriez ses morceaux dans un cercueil.

Bordelli repensait souvent à la guerre. Il lui semblait qu'hier encore il tirait sur les nazis. Les voix et les rires de ses camarades défunts retentissaient toujours dans ses oreilles. Chacun avait une façon bien à lui d'intervenir dans la conversation, de pousser des exclamations, de jurer. S'il avait fallu trouver une qualité à la guerre, c'était sans aucun doute la réunion forcée d'individus issus de toute l'Italie. La guerre lui avait permis de connaître d'autres dialectes et d'autres mentalités, d'autres légendes et d'autres espoirs.

Il se retourna. Il avait presque arrêté de fumer: c'était une grande victoire pour lui. Pendant la guerre, il grillait jusqu'à cent cigarettes par jour, les célèbres et épouvantables M.I.L.I.T., que certains avaient rebaptisées «Merde Italienne Lissée et Introduite en Tubes». Avec l'arrivée des cigarettes américaines, fumer n'avait plus été un supplice.

Ce souvenir en tête, il tendit la main dans le noir et s'empara d'une cigarette, la quatrième, qu'il alluma, appuyé sur son coude. Le cendrier était toujours au même endroit, il ne pouvait pas se tromper. Il fumait en sautant de souvenir en souvenir. Parfois ces souvenirs se superposaient dans son esprit, et il lui était alors impossible d'y comprendre quoi que ce soit.

Le téléphone se mit à sonner. Il chercha à tâtons le combiné, près de la table de nuit.

« Oui ?

– Monsieur, c'est vous ?

– Je crois bien. Quelle heure est-il ?

– 2 heures.

– Il est arrivé quelque chose ? »

– Je ne sais pas... euh, je voulais dire... bref, j'ai reçu un appel bizarre. Une femme s'inquiète... parce qu'une autre ne répond pas au téléphone, et ce n'est pas normal... Monsieur, savez-vous ce qu'est exactement une dame de compagnie ?

– Excuse-moi, mais tu devrais commencer par le début.

– C'est moi qui vous prie de m'excuser, monsieur. Je n'aurais peut-être pas dû vous déranger. Mais je suis seul et vous m'avez toujours dit que dans le doute...

– Tu as bien fait, Mugnai, je t'écoute, mais essaie de ne pas tout compliquer.

– J'essaie, monsieur. Ce n'est même pas clair pour moi, j'ai tout écrit, sinon... Tout à l'heure j'ai reçu l'appel d'une dénommée Maria qui s'est présentée comme la dame de compagnie d'une femme qui n'a pas moins de deux noms de famille... Qu'est-ce que ça veut dire, dame de compagnie ?

– Je te l'expliquerai un autre jour.

– Ça a quelque chose à voir avec les michetonnes ?

– Mais non, voyons ! Allez, continue !

– Excusez-moi, monsieur. Bon, d'après ce qu'elle dit, la dénommée Maria passe ses journées avec la femme en question. Elle s'en va à 20 heures, car l'autre veut être seule la nuit. Mais elle lui téléphone vers minuit pour prendre de ses nouvelles. La femme est vieille et un peu malade.

– On ne dit pas vieille, Mugnai, on dit âgée.

– Comme vous voulez, monsieur... Bref, la dame a téléphoné à l'heure habituelle, mais personne n'a répondu. Elle a réessayé un peu plus tard, sans succès. Elle a continué tous les quarts d'heure jusqu'à 1 heure du matin, puis elle a pris un taxi pour aller voir elle-même. Elle dit que la lumière est allumée et que la femme n'ouvre pas. Voilà pourquoi elle nous a appelés. »

Bordelli avait déjà commencé à s'habiller. « Pourquoi n'est-elle pas entrée ?

– C'est ce que je lui ai dit, déclara Mugnai en abattant la main sur la table. Et vous savez ce qu'elle m'a répondu ?

– Quoi ?

– Que personne n'a les clefs. La femme ne veut pas. »

Le commissaire soupira. « Si elle était inquiète, elle n'avait qu'à y aller avec son médecin et lui demander d'enfoncer la porte.

– C'est exactement ce que j'ai dit ! Et vous savez ce qu'elle m'a répondu ?

– Quoi ?

– Que le médecin est un tout petit homme et qu'il se briserait l'épaule s'il essayait d'enfoncer la porte.

– Dans ce cas, les pompiers.

– Je le lui ai dit, je vous le jure. Et elle : de toute façon, il n'y a plus rien à faire, Madame est morte.

– Bon, maintenant j'ai compris.

– Et puis vous savez ce qu'elle a ajouté, monsieur ? »

Bordelli boucla sa ceinture, le combiné coincé entre le menton et l'épaule. « Parle, Mugnai. Arrête donc de me poser des devinettes.

– Excusez-moi, monsieur.

– Bon, qu'a-t-elle ajouté ?

– Que la femme a été tuée.

– Comment le sait-elle ?

– Elle ne le sait pas. Elle dit qu'elle le sent. Puis elle s'est mise à pleurer.

– Elle lit peut-être trop de romans policiers.

– C'est exactement ce que j'ai pensé ! s'exclama Mugnai en tapant une nouvelle fois sur la table. Bon, qu'est-ce qu'on fait ?

– Je me chausse et j'y vais.

– Je suis désolé, commissaire, mais vous m'avez toujours dit qu'en cas de...

– Laisse tomber, de toute façon je ne dormais pas. Donne-moi l'adresse. »

À 2 h 30, Bordelli à bord de sa Coccinelle parcourait la via della Piazzola, une rue menant aux quartiers les plus riches de la ville, perchés sur les collines. Les phares éclairaient l'asphalte ponctué de nids-de-poule plus ou moins comblés. Des deux côtés se dressaient les façades de palais ou les grilles monumentales de villas dissimulées un peu plus loin, et sur le ciel se détachaient les grandes chevelures des arbres, encore plus noires. Bordelli sentit une bulle d'acidité s'élever de son estomac et refréna à grand-peine l'envie d'allumer une cinquième cigarette. Il s'arrêta devant le 110 et constata que l'imposant portail en fer forgé de la villa Pedretti Strassen était fermé. La route étant extrêmement étroite, il se gara cent mètres plus loin. Il n'y avait pas un souffle d'air et, malgré l'heure tardive, il faisait chaud.

Il retourna à pied à la villa. Au fond d'un jardin rempli d'arbres, on entrevoyait la massive silhouette de la demeure et, derrière des haies de lauriers, le rectangle illuminé d'une fenêtre. Il glissa une cigarette entre ses lèvres et sentit le poids de la fatigue s'abattre sur lui. Il aurait aimé s'allonger par terre, savourer la paix qui enveloppait la villa et contempler le ciel sans bouger en pensant au passé.

Il essaya d'ouvrir le portail, en vain. Impossible aussi de le gravir : il était immense et hérissé de pointes. Il longea le mur d'enceinte et avisa une entrée latérale. Il s'agissait d'un portillon, qu'il poussa en forçant sur les gonds rouillés. Il pénétra alors dans le jardin qui, remarqua-t-il, n'était pas abandonné, mais négligé : sans doute n'y travaillait-on que trois ou quatre fois par an. Quant à la demeure à la façade écaillée, elle devait dater du XVIIe siècle. Elle comptait trois étages, cinq fenêtres par étage, toutes fermées, à l'exception de celle qui brillait au premier. À travers les carreaux irréguliers, il aperçut un plafond orné de fresques.

Bordelli se dirigea vers l'arrière et découvrit un grand parc planté d'arbres de haut fût, ainsi qu'une allée qui se perdait dans l'obscurité. Un cèdre séculaire étendait ses branches au-dessus du toit. En l'observant, il fut pris d'un léger vertige. Il s'appuya contre le mur et passa les doigts sur ses yeux, dans la tentative de chasser sa fatigue, puis regagna le devant de la villa et sonna, déclenchant un tintement grave, semblable à ceux qu'on entend dans les pensionnats religieux.

Comme personne ne répondait, il gratta une allumette et examina la serrure. Grâce aux leçons de son ami Botta, un voleur qui habitait San Frediano, à quelques pas de chez lui, il était capable d'ouvrir presque toutes les serrures avec un vulgaire bout de fil de fer, ce qui lui procurait invariablement une grande satisfaction. Avoir des voleurs parmi ses amis avait des avantages. Or Botta était plus que cela : à force de fréquenter les prisons du monde entier, il était devenu un cuisinier aux recettes internationales... Mais ce n'était pas le moment d'y penser.

Il lui fallut cinq bonnes minutes pour venir à bout de la serrure. Enfin, la porte s'ouvrit et un souffle frais, typique des vieilles demeures, l'accueillit. Il franchit le seuil et appela en vain la maîtresse de maison. En haut de la cage d'escalier, un rai de lumière filtrait à travers une porte entrouverte. Une fois ses yeux habitués à l'obscurité, il distingua des meubles anciens, une glace baroque, de nombreux tableaux. Il s'engagea dans un escalier monumental en grès clair, dont les marches étaient recouvertes, au centre, d'un tapis rouge tout élimé.

« Madame Pedretti, n'ayez pas peur, je suis le commissaire Bordelli », lança-t-il en se dirigeant vers la source de lumière. Il frappa à la porte entrouverte, sans succès, puis la poussa. Son visage fut secoué d'un frisson, comme s'il passait à travers une toile d'araignée : une vieille dame aux longs cheveux blancs était allongée en travers du lit, sur le dos, la chemise de nuit retroussée jusqu'au ventre. Bordelli s'approcha et réprima l'instinct de couvrir cette nudité accidentelle. La femme avait les mains recroquevillées sur la gorge, les yeux écarquillés en une expression de peur, le front plissé, les tempes noircies. Ses pieds osseux et blancs, veinés de bleu, dépassaient un peu du lit. Près de la tête, sur le drap, se trouvait un verre à moitié renversé.

La dame de compagnie avait vu juste : Mme Pedretti Strassen était morte. Sur la descente de lit reposaient des pantoufles, non loin d'une bouteille d'eau privée de bouchon et à moitié vide, ainsi que d'un livre de toute évidence jeté là. Le commissaire tourna la tête pour en déchiffrer le titre, *Passion fatale*, puis aperçut sur la table de nuit un flacon en verre sombre, au bouchon noir, dont il lut l'étiquette : «Asmaben». Une chose était certaine : la victime était asthmatique.

Sur le mur était fixé un vieux téléphone en bakélite. Il décrocha et, constatant qu'il marchait normalement, composa un numéro.

« Diotivede, c'est moi, Bordelli. Je t'ai réveillé ?

– Je ne dors jamais avant 3 heures.

– Bon, saute dans un taxi et rejoins-moi au 110 via della Piazzola.

– Il faut que j'apporte des petits fours ?

– Comme toujours.

– J'arrive. »

Bordelli raccrocha et appela le commissariat. Il réclama une ambulance et deux agents pour les relevés. Il pria Mugnai de joindre sans tarder le médecin de Mme Pedretti, de l'expédier à la villa et de convoquer la dénommée Maria. Après quoi, il s'assit sur une chaise et fuma une cigarette en contemplant le profil de la défunte, son nez décidé et un peu recourbé, pointé vers les angelots du plafond. Il avait beau promener les yeux sur les fissures ou sur les grandes toiles d'araignée qui ondoyaient, il revenait toujours vers ce visage. Il pensa à la certitude de Maria : un meurtre.

De prime abord, la scène évoquait une mort violente, mais naturelle. Un infarctus peut-être, ou une embolie pulmonaire. Bordelli éteignit sa cigarette dans le paquet vide, qu'il froissa dans sa poche. Il se leva avec un soupir et poursuivit son inspection. Le grand meuble noir aux vitres obscurcies par un tissu jaune et le secrétaire ouvert semblaient en ordre. On n'avait rien fouillé.

Comme obsédé, il se tourna une nouvelle fois vers le nez de la défunte. Une écume blanche, semblable à de la bave d'escargot, sortait de ses lèvres entrouvertes. Les petites bulles éclataient, bientôt remplacées par d'autres : il y avait encore du mouvement dans ce corps inanimé. Puis la salive se tarit et la mousse dissoute forma deux minuscules gouttes qui coulèrent sur les joues inertes et séchèrent aussitôt.

Bordelli regagna le rez-de-chaussée. Il alluma la lumière pour mieux observer les tableaux accrochés dans la grande entrée, au pied de l'escalier : essentiellement des portraits, sans doute d'ancêtres. Sur l'immense mur jauni, se penchait la silhouette sévère d'un cardinal. Il avait le même nez que Mme Pedretti, une croix dans une main, un livre dans l'autre et un éclat dur dans les yeux.

Continuant de fouiner, il entra dans une pièce meublée de vitrines et d'une grande table ronde, au centre. Des paysages mélancoliques et champêtres paraient les murs. Une paire d'énormes bœufs blancs attira son attention. Il s'approcha : il ne s'était pas trompé, il s'agissait d'un Fattori. Les surprises ne s'arrêtaient pas là : il découvrit plus loin des Segantini, un Nomellini, des Signorini, Ghiglia, Bartolena[1] et ainsi de suite. Leurs couleurs hypnotisaient le commissaire, dans l'esprit duquel s'obstinait à ressurgir le nez effilé de la défunte. Il passa une main sur son visage pour effacer cette image et poursuivit sa visite.

Venaient ensuite une vaste cuisine très propre, un salon poussiéreux, un boudoir, des bibliothèques, des chambres de domestiques, plusieurs salles de bains parfumées de façon excessive... la demeure n'en finissait pas. Bordelli remonta au premier étage. Derrière les portes, se cachaient des pièces immenses et à moitié vides aux plafonds ornés de fresques par des peintres naïfs du XVIIe siècle, des tapis démesurés et des lustres en cristal croulant sous la poussière. Dans la plus grande, un meuble sombre se dressait comme un tabernacle sur le crépi jaunâtre.

Au second, encore plus chaud, toutes les pièces étaient vides, à l'exception de l'une d'entre elles, dans laquelle on avait apparemment amassé les meubles de l'étage entier : des armoires remplies de vêtements dans des housses, des étagères supportant des dizaines de paires de chaussures, des fauteuils rongés par les rats, des tables de nuit, des lustres, des petites lampes ; une chaise portant une boîte en bois barrée de l'inscription « Osborne 1934 ». Bordelli l'ouvrit : il aurait volontiers bu un alcool fort. Mais il n'y trouva que de vieilles cartes de vœux. Dommage, pensa-t-il avant

---

1. Peintres italiens du XIXe et du XXe siècle. (*Toutes les notes sont de la traductrice.*)

de serrer dans sa poche son paquet de cigarettes froissé pour vérifier qu'il n'en contenait plus.

En se déplaçant dans ce désordre, il heurta du coude un vase qu'il essaya de rattraper au vol. Mais l'objet lui échappa et se brisa sur le sol en mille morceaux. Il fut frappé par le silence qui se rétablit ensuite, uniquement ponctué du craquement des vieux meubles. Les paupières tombant sous l'effet de la fatigue, il s'assit au milieu d'un canapé, posa les bras sur le bord du dossier et renversa la tête. Une frise fanée de lignes entrelacées courait sous le plafond ; en la contemplant il se demanda combien de personnes avaient touché ces murs, foulé ces parquets, utilisé ces meubles. Rien de nouveau, au fond. Il songea aux enfants qui avaient vu le jour dans cette grande demeure, aux morts qu'on avait glissés dans leur cercueil, et se dit que les murs séculaires possédaient une solennité dont étaient privés les murs modernes. Puis il s'enfonça dans des pensées indistinctes et s'endormit.

Le mouvement de sa tête qui tombait en avant le réveilla. Il fut saisi d'effroi, parce qu'il ne se rappelait pas où il se trouvait ni pourquoi. Mais cela ne dura que quelques secondes : déjà, le visage de la défunte reparaissait dans son esprit. Il consulta sa montre à travers le brouillard du sommeil, se leva non sans effort et s'engagea dans l'escalier. Au premier étage, il jeta un coup d'œil au corps étendu en travers du lit, comme pour s'assurer qu'il était toujours là. Un instant il eut la sensation que Maria avait vu juste : il s'agissait d'un meurtre. Puis il secoua la tête et descendit en pensant que la fatigue lui jouait de mauvais tours.

Il alluma la lumière au jardin – deux lanternes jaunies fixées à la façade – et alla se poster devant la grille. Le ciel était couvert, l'air étouffant. À l'horizon, brillaient des éclairs silencieux. La pluie se mit bientôt à tomber : de grosses gouttes chaudes s'écrasant sur les tuiles dans un bruit de cailloux. Mais elle cessa très vite. En proie à une intuition, il fouilla dans ses poches et y trouva deux cigarettes chiffonnées. Il en redressa une, l'alluma et aspira une longue bouffée pour se réveiller. Il avait déjà trop fumé, il le savait, mais sa volonté était désormais impuissante. L'image de la défunte planait toujours dans son esprit. Un meurtre, songea-t-il. Il s'adossa au mur et chercha la clarté de la lune derrière les épais nuages.

Diotivede fut le premier à arriver. Petit, les cheveux blancs dressés sur la tête, la démarche juvénile malgré ses soixante-dix ans, il avait un air fier. Il paya le taxi, ajusta ses lunettes et jeta un regard circulaire. Bordelli ayant levé une main lasse en guise de salut, il se dirigea vers lui, son sac se balançant à la hauteur de ses genoux, les lèvres pincées en une sorte de sourire. « Tu sembles fatigué, commença-t-il.

– Les petits fours ?

– Ici, répondit-il en tapotant son sac.

– Viens, je vais te conduire auprès de la maîtresse de maison. »

Ils traversèrent le jardin sans un mot. Diotivede humait l'air, tel un animal. Il suivit Bordelli dans l'entrée, où la forte odeur de vieux tapis et de poussière l'assaillit.

« Où est le cadavre ?

– À l'étage. »

Le médecin légiste s'immobilisa un instant devant le portrait du cardinal, qui fit monter à ses lèvres une grimace boudeuse et enfantine. Au commissaire qui tendait la main, dans l'escalier, pour lui porter son sac, il rétorqua : « J'y arriverai tout seul.

– Je ne voulais pas te vexer.

– Je ne suis pas vexé. »

Une fois dans la chambre, il posa l'objet sur une chaise, changea de lunettes et s'approcha du cadavre. Il observa, flaira, palpa et déclara : « Une belle femme. »

Comme toujours, il consigna ses premières notes dans un carnet noir, sous le regard de Bordelli, assis dans un coin, se munit de sachets en plastique et de flacons, puis enfila des gants en latex. « La présence du médicament laisse entendre qu'il s'est agi d'une crise d'asthme foudroyante », affirma-t-il.

Le commissaire alluma son dernier mégot en le serrant bien entre ses doigts pour boucher une déchirure du papier et souffla la fumée au loin, dans l'illusion d'éloigner un poison. « On peut succomber à une crise d'asthme ? Ça ne m'était jamais venu à l'esprit.

– Oui, quand l'allergie est grave et que le cœur n'est plus tout jeune. »

Bortelli pointa les coudes sur ses genoux et secoua la tête. « Une mort violente, sans doute. »

Diotivede se pencha sur la femme et lui souleva une épaule, qui céda mollement. Il répéta ce geste avec un pied, puis saisit le flacon d'Asmaben et l'examina en le tenant à la hauteur des yeux. Il paraissait perplexe. Il dévissa le bouchon. « Bizarre.

– Pourquoi, bizarre ?

– Le bouchon était parfaitement vissé. Et même bien serré.

– Qu'y a-t-il d'étrange à ça ? demanda Bordelli en le rejoignant.

– C'est toi, le flic, oui ou non ?

– Un flic qui n'a pas dormi.

– Je t'excuse seulement pour ça.

– Bien aimable à toi.

– Regarde. Nous avons, d'un côté, un verre renversé sur le lit, une bouteille ouverte posée par terre, un livre jeté sur le tapis. De l'autre, un flacon d'Asmaben bien fermé. Et, comme tu le vois, la vis est longue. Se peut-il, d'après toi, qu'un individu en train d'étouffer se soucie de revisser un bouchon ? »

Bordelli se gratta la nuque et alla se rasseoir. « Carrément évident. »

Diotivede se mit à quatre pattes, à la recherche d'un objet. Il finit par regarder sous le lit et par fourrer la main dessous. « C'était bien ce que je pensais.

– Quoi ?

– Le bouchon de la bouteille. Il était là.

– Tu pourrais être policier.

– Il ne manquerait plus que ça », dit-il en reniflant le bouchon. Il enferma le flacon d'Asmaben dans un sachet transparent, ramassa le verre qui était sur le lit et l'inclina. Puis il versa les quelques gouttes qu'il contenait encore à l'intérieur d'une éprouvette stérile à fermeture hermétique et le glissa dans un sachet. Il préleva aussi un échantillon d'eau dans la bouteille, qu'il scella à son tour. Le livre connut le même sort. Enfin, il installa le tout dans son sac avec beaucoup de zèle et écrivit de nouveau quelques notes. «Elle doit être morte depuis au moins cinq heures, peut-être six, conclut-il.

– Ah oui ?

– Je serai plus précis après l'autopsie. »

Au même moment, le bruit d'une première voiture, puis d'une seconde, retentit.

«Les voici», dit Bordelli. Il quitta sa chaise avec un gémissement et sortit à la rencontre des nouveaux venus. Il montra le chemin aux deux agents, Russo et Bellandi, ainsi qu'aux brancardiers de l'ambulance, puis gagna la rue pour se dégourdir les jambes, ne souhaitant plus que regagner son lit.

Une trouée s'était dessinée dans le ciel, et l'on voyait maintenant la lune. Il s'immobilisa devant le portail et contempla la villa de loin, fasciné par une décadence qui était l'œuvre du temps. Il aimait constater que les choses vieillissaient et s'usaient, que cela n'arrivait pas qu'aux gens.

Soudain, il sentit un regard peser sur lui. Il se retourna et découvrit une femme âgée et maigre qui le fixait, penchée à la terrasse de la demeure voisine, une grande bâtisse donnant sur la rue. Immobile, elle portait un peignoir blanc et un bonnet de nuit. Elle indiqua la villa de la défunte et lança : « Vous êtes venu acheter la maison ?

– Je jetais juste un coup d'œil.

– Elle n'est pas à vendre.

– C'est une belle demeure.

– On devrait l'offrir aux religieuses, voyez-vous...

– Pourquoi ?

« – Oh ! ne me questionnez pas, ne me tirez pas les vers du nez..., dit-elle en agitant la main.

– Vous les entendez ?

– Comment ?

– Il y a des fantômes ?

– Pire. Attendez, je descends. »

Le commissaire alla attendre la vieille femme devant chez elle. Au bout de quelques minutes, la porte s'ouvrit, et elle apparut sur le seuil, hors d'haleine. Elle était d'une telle maigreur que sa robe de chambre semblait suspendue à un cintre. Son visage minuscule était sillonné de rides autour de sa bouche couverte de pustules. « Ici, on a tué un tas de gens, murmura-t-elle.

– Vraiment ? »

Elle jeta un regard soupçonneux dans la rue et invita Bordelli à s'approcher. « Oui, ici, il y a toujours eu des choses bizarres.

– Bizarres ? C'est-à-dire ? »

Elle lui saisit le bras et le serra avant de chuchoter :

« Le diable.

– Le diable ?

– Chut ! Ne parlez pas si fort !

– Excusez-moi.

– Oh ! ne m'obligez pas à parler. »

Bordelli lorgna l'intérieur de la maison. Derrière cette porte, le monde s'était figé quelques siècles plus tôt : il y avait là d'immenses meubles noirs, des portraits aux murs, des armures, des chandeliers énormes, des tapis sombres, un poêle à bois en céramique bleue. Une odeur de vieux tissus et de bois brûlé flottait dans l'air.

« Vous qui l'avez vu, décrivez-moi le diable, dit-il.

– Je ne l'ai pas vu. Mais il y a un tas de bruits.

– Quel genre de bruits ?

– Vous voulez vraiment le savoir ?

– Bien sûr...

– Attendez, j'appelle ma mère. » Se retournant, elle s'écria : « Maman ! Il y a un monsieur qui veut te parler !

– Mais non, ne la dérangez pas.

– Maman ! Il y a un monsieur, je t'ai dit !

– Laissez, madame.

– Non, non, voilà, elle arrive. » Dans le noir, Bordelli vit ondoyer un drap blanc qui atteignit la porte au bout d'un laps de temps interminable. C'était la mère, un être minuscule, la peau sur les os.

« Qu'y a-t-il ? demanda-t-elle d'un ton presque imperceptible en respirant laborieusement.

– Ce monsieur a des questions à poser sur les voisins.

– Dans quelle direction dois-je regarder ?

– Elle est aveugle, expliqua la fille.

– Je suis ici, madame. Ravi de faire votre connaissance. »

La femme tendit à Bordelli une petite main osseuse, qu'il retint un instant dans la sienne non sans craindre de la briser. Ses globes oculaires étaient recouverts d'un voile blanc, veiné de vaisseaux. « Que voulez-vous savoir ? » interrogea-t-elle, la bouche tremblante.

– Votre fille me disait qu'on entend du bruit à côté. »

La vieille femme esquissa un mouvement qui correspondait sans doute, dans sa jeunesse, à un élan d'exubérance. « Oh, oui, oui. Des bruits. Beaucoup, beaucoup de bruits.

– Quel genre de bruits, madame ?

– Des bruits, beaucoup, beaucoup, beaucoup, beaucoup...

– Maman, tu as compris, oui ou non ? Ce monsieur te demande quel genre de bruits... Ne fais pas ta gâteuse. » Bordelli brûlait d'envie de s'éclipser. Il jouait nerveusement avec les clefs de sa voiture dans sa poche. La vieille dame transparente logea une de ses mains dans l'autre et les abattit contre sa poitrine.

« La nuit surtout. Beaucoup, beaucoup...

– Le monsieur ne veut pas savoir quand, maman. Mais le genre de bruits dont il s'agit.

– Ah... oui...

– Parle-lui des cris que tu as entendus en février.

– Quels genres de cris ? interrogea Bordelli en simulant de la curiosité.

– Allez, maman, le monsieur attend.

– Oui, oui... des cris terribles, terribles... comme ceux des animaux...

– Mais ce n'étaient pas des animaux, ça, c'est sûr ! » La fille écarquilla les yeux pour donner plus de valeur à cette affirmation.

« J'ai un cousin fou, commença la mère, retrouvant brusquement l'envie de parler. Je lui ai rendu visite jusqu'en 1946... »

À ces mots, la fille sursauta et, les larmes aux yeux, assena de petites tapes sur les mains de la mère. « Pourquoi dis-tu ça, maman ? Pourquoi dis-tu ça ? Hein ? Il fallait vraiment que tu le dises ? Hein ?

– Laisse-moi parler... Voyez, monsieur, je déteste ma sœur... Elle a rendu fou mon neveu. » La fille ajusta son dentier, poussa un gémissement et quitta la pièce comme si elle n'avait plus l'intention d'y remettre les pieds. Alors la mère reprit, calmement : « Il n'y a qu'à l'asile de fous que j'ai entendu de pareils cris, vous comprenez ? Vous êtes encore là, monsieur ?

– Oui, je suis là. »

La fille ressurgit et se plaça derrière sa mère, apparemment moins agitée. Bordelli n'avait qu'une envie : filer. « Ravi d'avoir fait votre connaissance », tenta-t-il de conclure, la main tendue.

Mais la mère repartit à l'attaque. « Vous ne voulez pas que je vous parle des coups ?

– Des coups ?

– Des coups si forts, si forts, si forts qu'ils me réveillent.

– Des coups de feu ?

– Forts, très forts.

– Maman, tu ne comprends rien ! Le monsieur te demande si ce sont des coups de feu.

– Ah ! c'est très gentil de sa part...

– Non, maman, tu n'as pas compris.

– ... extrêmement, extrêmement gentil.

– Maman ! »

Bordelli s'inclina devant la fille et dit : « Ne dérangez plus votre mère, je vous en prie. J'ai tout compris. Encore merci, merci. Au revoir. »

La mère fit deux petits pas en avant.

« Venez donc nous voir, monsieur, nous sommes toujours toutes seules.

– Maman, pourquoi dis-tu ça ? Pourquoi ?

– Parce que c'est vrai », répondit la vieille dame en pleurnichant.

Bordelli les salua une nouvelle fois d'une voix forte pour être bien entendu et se retourna. Derrière lui, la discussion continuait. La fille était furieuse : « Fallait-il vraiment que tu le dises ? Hein ? Pourquoi l'as-tu dit ? Dis-moi pourquoi, répétait-elle d'un ton rageur.

– Adele, rappelle le monsieur... Nous ne lui avons pas parlé des grognements...

– Pourquoi l'as-tu dit, hein ? Dis-moi pourquoi ! Pourquoi ? »

La porte se referma et le silence revint. Bordelli était en nage, mais sain et sauf. « Le diable... », murmura-t-il entre ses dents. Il aurait donné volontiers une main contre une cigarette. La mère et la fille n'avaient peut-être entendu que des chats en rut et des pots d'échappement endommagés, mais elles étaient parvenues à rendre la villa encore plus étrange.

Il s'apprêtait à regagner le jardin lorsqu'il vit s'immobiliser une Fiat 500 blanche. Un petit homme maigre d'environ soixante ans, au crâne un peu aplati sur les tempes et à la bouche ridée, en descendit. Il se dirigea vers lui d'un pas hésitant, cachant derrière d'énormes lunettes une expression chagrinée.

« Je cherche le commissaire Bordelli.

– C'est moi.

– Dr Bacci. Je suis le médecin de Mme Pedretti. »

Ils se serrèrent la main.

« Pauvre femme, je n'arrive pas à le croire », dit-il avec une tristesse sincère.

Ils traversèrent le jardin et pénétrèrent dans la villa. Bordelli s'arrêta au pied de l'escalier. « Si cela ne vous ennuie pas, j'aimerais vous poser quelques questions au sujet de votre patiente.

– Excusez-moi, j'aimerais d'abord la voir.

– Je vous en prie, elle est à l'étage. Je vous attends dans ce salon.»

Le médecin gravit l'escalier, la tête branlante, et redescendit quelques minutes plus tard. Il se planta au milieu de la pièce, les yeux dans le vague. Bordelli, confortablement assis sur un canapé qui dégageait une forte odeur de vieux velours, commença : «Docteur Bacci, nous savons que Mme Pedretti était asthmatique... jusqu'à quel point ?

– Comment ?

– Je vous demandais si votre patiente était gravement asthmatique ou...

– Ah oui, bien sûr. Elle souffrait d'une allergie tissulaire asthmatique sous une forme plutôt grave, oui.

– Cela pouvait-il être mortel ?

– Mme Pedretti était allergique à plusieurs sortes de pollens. Elle était victime de crises violentes, mais pas mortelles.

– Vous en êtes sûr ?

– En vérité, il existait bien une plante dangereuse pour elle...» Rentrant le cou entre les épaules, il fit quelques pas et s'immobilisa devant le portrait d'un juge en hermine. «L'*Ilex Paraguariensis*, communément appelée maté, plante typiquement tropicale. Son pollen était mortel pour Mme Pedretti.»

Bordelli toussa dans son poing.

«Vous n'auriez pas une cigarette ?

– Je ne fume pas.

« – Tant mieux. Dites-moi, docteur, comment Mme Pedretti l'a-t-elle découvert ?

– Quoi ?

– Qu'elle était allergique à ce pollen tropical. »

Le médecin s'arracha à la contemplation du tableau et se rapprocha. Il expliqua au commissaire que sa patiente avait beaucoup voyagé dès son plus jeune âge. Quelques années plus tôt, au cours d'un séjour en Colombie, on l'avait hospitalisée d'urgence pour une très grave crise.

« On l'a sauvée d'un fil, ça a été un miracle. » Les médecins colombiens avaient alors établi que la floraison du maté avait provoqué la crise. La femme avait passé plusieurs jours à l'hôpital et s'était ressaisie, mais cette terrible expérience l'avait marquée, et elle s'était enfermée chez elle à son retour. « Je lui répétais : Madame, vous n'avez pas à vivre comme une recluse, la Colombie se trouve à l'autre bout du monde. Cette plante ne pousse pas chez nous.

– Bref, seul ce pollen tropical pouvait lui causer une crise mortelle. »

Le Dr Bacci ôta ses lunettes, dont les verres étaient aussi épais que des culs de bouteille, et appuya les doigts sur ses paupières. « Oui, que je sache.

– Que pouvez-vous me dire à propos de l'Asmaben ?

– Mme Pedretti en avait toujours un flacon à portée de main. Heureusement, elle réagissait très bien à ce médicament. Vingt gouttes lui permettaient de reprendre son souffle en l'espace de quelques secondes. Je vous assure que ce n'est pas toujours le cas.

– Que serait-il arrivé si elle ne l'avait pas pris ?

– C'est difficile à dire. Elle aurait probablement passé un sale moment, mais je ne crois pas qu'elle serait morte.

– La plante tropicale, en revanche...

– Pour ce qui est du maté, il est presque certain que, sans Asmaben, elle serait morte en quelques minutes, surtout après le précédent colombien.

– Et avec l'Asmaben ?

– Je n'ai pas de preuves, naturellement. Mais je suis presque convaincu qu'une double dose l'aurait sauvée.

– Si j'ai bien compris, en considérant qu'un flacon d'Asmaben se trouve sur la table de nuit de Mme Pedretti, on peut affirmer qu'elle n'a pas succombé à une crise d'asthme, n'est-ce pas ?

– Je ne peux pas le jurer : l'asthme allergique est une terrible maladie, susceptible d'entraîner la mort par infarctus chez les personnes âgées. Il n'existe qu'une seule certitude : nous sommes tous entre les mains de Dieu. »

Bordelli s'abîma dans ses pensées, le menton pincé entre les doigts, puis se leva et serra la main du médecin. « C'est tout pour le moment, merci. En cas de besoin, je vous ferai appeler.

– Je suis très chagriné. Mme Pedretti n'avait pas bon caractère, mais j'avais de l'affection pour elle. Beaucoup d'affection », murmura le petit homme, comme s'il avouait un amour non partagé. Ses yeux rouges allant et venant derrière ses verres de lunettes, il esquissa un sourire et quitta la pièce. Bordelli s'abandonna une nouvelle fois sur le canapé. Cette histoire lui déplaisait, elle lui déplaisait énormément.

Peu après, les pas des brancardiers retentirent dans l'escalier. Il retourna dans l'entrée et vit passer devant lui la dépouille de Mme Pedretti sur une civière recouverte d'un drap blanc. Russo et Bellandi lui adressèrent un salut militaire. Quant à Diotivede, il descendit le dernier, son sac oscillant dans sa main comme un cartable d'écolier.

« Tu me raccompagnes ? » interrogea-t-il.

Ils montèrent à bord de la Coccinelle dont le pot d'échappement crachait détonations et flammes. Un filtre sale en était peut-être la cause, avait-on dit à Bordelli. Même une Volkswagen a besoin d'un médecin de temps en temps.

Diotivede reprit la parole : « Que penses-tu de ce meurtre ?

– Nous devons d'abord établir si elle a été tuée.

– Tu en doutes encore ?

– Eh bien...

– Alors tu es vraiment fatigué.

– Je te l'avais dit. »

Ils replongèrent dans le silence. Lorsqu'ils roulaient ensemble, ils avaient chacun l'habitude de remâcher leurs pensées comme s'ils étaient seuls. La Coccinelle avançait lentement, semblant elle aussi penser. Le ciel commença à s'éclaircir : il était plus de 5 heures. Malgré la vitre baissée, Bordelli transpirait, contrairement à Diotivede qu'on n'entendait jamais se plaindre, ni en été ni en hiver.

Une fois viale Volta, ils traversèrent le ponte del Pino et se dirigèrent vers le domicile du médecin légiste. Les rues étaient désertes, on n'y voyait que quelques chiens sans maîtres.

« J'aimerais organiser un dîner chez moi. Ça te dit ? » lança Bordelli.

Diotivede passa une main sur son crâne avant de répondre : « Pourquoi pas ? »

Le soleil se levait sur la ville, mais la « nuit » de Bordelli n'était pas encore terminée. Après avoir déposé Diotivede via dell' Erta Canina, il se rendit au commissariat afin de s'entretenir avec Maria, la dame de compagnie de Mme Pedretti Strassen : de toute façon, il était trop fatigué pour s'endormir.

La femme patientait depuis près d'une heure, assise sur un banc devant son bureau. Des mouchoirs mouillés à la main, les cheveux blancs tirés en une queue-de-cheval sage, elle pleurnichait. Il l'invita à s'asseoir de l'autre côté de sa table de travail. Minuscule, dotée de grands yeux ronds et de lèvres minces, elle évoquait un oiseau de nuit. Bordelli lui offrit un verre d'eau et attendit qu'elle se calme. Quand elle cessa enfin de sangloter, il lui demanda pourquoi elle avait parlé de meurtre. Elle agita les mains au-dessus de sa tête et, fondant de nouveau en pleurs, décrivit l'avidité des neveux de sa maîtresse et celle de leurs épouses respectives, qu'elle qualifia de « sorcières » en roulant les r.

« Ces ramollis et leurs deux putains attendaient la mort de Madame, cela se lisait dans leurs yeux ! »

Le commissaire objecta que l'avidité constituait un péché, non un crime. Maria grimaça. « Attendez donc de les voir en chair et en os ! Ils sont mauvais, ils l'ont tuée, je le sais, je le sens.

– Quel lien de parenté exactement existe-t-il entre Mme Pedretti et ses neveux ?

– Ce sont les enfants d'une sœur de Madame qui s'est noyée dans le lac Léman il y a dix ans.

– Un accident ?

– Plutôt un suicide.

– Que font-ils dans la vie ? »

Maria pinça les lèvres et répondit avec mépris : « Ils vendent des maisons. Ils n'ont pas la classe des Pedretti. »

Le commissaire fouilla dans ses tiroirs à la recherche d'une cigarette égarée. Il en dénicha deux sous un paquet de pochettes cartonnées et en alluma une.

« Maria, dites-moi quelle opinion Mme Pedretti avait de ses neveux ?

– Elle faisait semblant de rien devant eux, mais elle se confiait à moi. Elle les surnommait "les deux ordures".

– Et que pouvez-vous me dire de son asthme ? »

La femme confirma que ses rares crises s'achevaient en l'espace de quelques secondes grâce à l'Asmaben. Bordelli lui rapporta les propos du Dr Bacci sur l'asthme allergique. « Ils l'ont tuée...

– Une autopsie scrupuleuse aura lieu, répliqua le commissaire avant de la questionner sur le mauvais caractère de sa patronne.

– Elle était un peu autoritaire et pas très généreuse, c'est vrai, mais au fond elle était bonne. Et surtout très, très seule.

– Quand avez-vous vu Mme Pedretti pour la dernière fois ?

– Hier à 20 heures. C'est l'heure à laquelle j'ai l'habitude de m'en aller. » De nouveau, elle enfonça le nez dans son mouchoir.

Le commissaire se sentait dépourvu face aux femmes qui pleuraient. Il avait toujours envie de les secouer par une épaule et de leur prodiguer de banales phrases d'encouragement, mais il finissait par renoncer et attendre que les pleurs se tarissent.

Dès que Maria eut cessé de sangloter, il lui demanda si la défunte avait d'autres parents proches.

« Un frère, un type à moitié fou. On ne le voyait pas souvent.

– Comment s'appelle-t-il ?

– Dante.

– Savez-vous où il vit ?

– Dans une vieille maison, à Mezzomonte.

– Quelles étaient ses relations avec sa sœur ?

– Ils se téléphonaient souvent. Ils bavardaient longuement, il arrivait même à Madame de rire.

– Était-ce donc étrange ?

– Très étrange. Madame ne riait presque jamais.

– Mais avec son frère...

– Avec son frère, elle riait beaucoup. Et au moment de raccrocher, elle envoyait des petits baisers au combiné. »

Comme Rosa, pensa Bordelli.

« Auriez-vous par hasard les coordonnées de ce Dante ?

– Oui, je crois. Il m'arrivait souvent de composer le numéro pour Madame. » Maria fouilla longuement dans son sac, dont elle ôta rouges à lèvres et chapelets, avant de dénicher un petit répertoire. Un bout de papier était coincé entre les pages. « Ce doit être ça. »

Bordelli s'en empara et le posa sur le bureau. « Et les neveux ? Où puis-je les trouver ?

– Ceux-là ! Ils se tournent les pouces au bord de la mer. Je vais vous donner leur numéro.

– Merci.

– Ces deux ordures prennent leurs vacances ensemble. »
La femme dicta le numéro d'une voix tremblante puis se
remit à sangloter.

« Je vous remercie infiniment, dit Bordelli en se levant.
En cas de besoin, je vous avertirai.

– Flanquez-les en prison !

– Nous arrêterons l'assassin, c'est certain. »

Maria se leva à son tour et lui saisit un bras. « Monsieur
le commissaire, vérifiez si Madame est morte par la volonté
de Dieu ou si...

– Vous pouvez dormir tranquille, c'est mon métier.

– Elle était si seule... et ces quatre voyous...

– Ne vous inquiétez pas.

– Ces monstres...

– S'ils sont coupables, ils ne s'en tireront pas, je vous le
jure. »

Il accompagna la femme jusqu'à la sortie et pria un agent
de la ramener chez elle. Avant de la quitter, il lui posa une
dernière question :

« Qui avait les clefs de la villa, en dehors de Mme Pedretti ?

– Personne, commissaire. Madame ne supportait pas
l'idée qu'on puisse entrer chez elle sans son autorisation.

– Pas même ce Dante ?

– Je l'ignore. Mais en admettant qu'il ait les clefs, il les a
sans doute perdues.

– Il est distrait ?

– C'est un homme très bizarre.

– Encore merci de votre patience, Maria. Allez donc vous
reposer.

– Monsieur le commissaire, j'insiste...

– Vous pouvez dormir sur vos deux oreilles », répondit Bordelli, à court de variantes.

Il était déjà 7 heures. Le commissaire réintégra son bureau et composa le numéro de téléphone du dénommé Dante. La sonnerie se répéta longuement. Il s'apprêtait à raccrocher quand une voix grave et chaude retentit à l'autre bout du fil.

« Ici, Dante.

– Monsieur Pedretti, pardonnez-moi de vous appeler à une heure pareille.

– Pourquoi ? Quelle heure est-il ?

– Plus de 7 heures.

– 7 heures du matin ou du soir ?

– Du matin.

– Je vous écoute.

– Je suis le commissaire Bordelli. J'ai une mauvaise nouvelle à vous annoncer.

– Dans ce cas, ne le faites pas au téléphone.

– À quelle heure pourriez-vous venir ?

– Venez, vous. »

L'homme lui dicta l'adresse et raccrocha sans lui laisser le temps de répliquer. Malgré sa belle voix, il devait être effectivement un peu étrange, se dit Bordelli. Mais un petit tour à la campagne le tentait, et il ramassa toutes les cigarettes qu'il parvint à trouver dans ses tiroirs avant de quitter le commissariat. La fatigue l'avait abandonné, il se sentait maintenant plein d'énergie. Il avait eu cette sensation pendant la guerre, après deux ou trois nuits blanches : il tenait sur les nerfs, sur ces forces qui entrent mystérieusement en action lorsqu'on s'y attend le moins.

S'il rentrait chez lui, il ne fermerait pas l'œil, il resterait des heures et des heures à se tourner et se retourner dans son lit, en nage, dans le noir, aux prises avec des souvenirs tristes.

Il traversa la ville qui se peuplait peu à peu. Une fois Porta Romana, il s'engagea dans la via di Pozzolatico. Il conduisait lentement en savourant le paysage. Le petit bourg de Mezzomonte était perché sur la colline opposée à celle de Mme Pedretti Strassen. C'était un endroit plutôt sauvage abritant quelques palais et des fermes habitées par de vieux paysans ou en ruine. Les jeunes s'installaient en ville pour s'enrichir. Plus personne, semblait-il, n'avait envie de fouler la terre et les bouses de vache.

Le commissaire gara sa Coccinelle sur un emplacement en terre, devant le numéro 117 de la via Imprunetana et descendit. Il y avait là un portail rouillé et ouvert, sur un pilier duquel une vieille plaque en terre cuite indiquait « Le Piège ». Au bout d'une allée, on entrevoyait la maison, dissimulée parmi les cyprès d'un petit jardin à l'abandon. Il poursuivit son chemin, suivant un sentier d'herbe piétinée, au milieu d'une jungle d'arbustes et de fleurs spontanées. La demeure n'occupait que deux étages, mais elle était très vaste : un compromis entre une maison de ferme et une villa bourgeoise. D'un côté se dressait une petite tour apparemment aménagée en pigeonnier. À en juger par l'état de la propriété, on avait du mal à la croire habitée. L'adresse était pourtant exacte.

Bordelli s'approcha de la porte d'entrée, aussi sombre qu'une gueule de loup, et tira sur une poignée. Comme il s'en rendit compte bien vite, elle actionnait une cloche mécanique dont le son retentit fort loin, à l'intérieur. Un hurlement ouaté, qui paraissait jaillir de sous la terre, répondit :

« C'est ouvert ! »

Bordelli avança sur le sol disjoint, puis, n'y voyant rien, appela tout fort. La même voix lui lança alors : « Allez à droite ! Au fond du couloir il y a une porte ouverte. Descendez en faisant attention aux marches. »

Obéissant à ces instructions, il atteignit à tâtons une porte entrebâillée, découvrit un escalier raide au pied duquel on distinguait une lueur tremblante et s'y engagea avec précaution. Quelques minutes plus tard, il déboucha dans une vaste pièce rectangulaire ponctuée d'énormes chandeliers garnis de bougies allumées, dont les murs étaient revêtus de vieilles bibliothèques. Au fond de la pièce, se tenait un grand et gros homme dans une blouse jaunâtre couverte de taches. Ses cheveux blancs et laineux lui enveloppaient la tête comme une bouffée de fumée. Il était penché sur une grande paillasse de bois, encombrée d'instruments de chimiste en verre et de mille objets étranges, qui, malgré ses dimensions – au moins dix mètres de long sur un mètre de large – faisait l'effet dans cette pièce d'un paquet de cigarettes sur un bureau.

« Vous êtes Dante ?

– C'est moi. »

Le commissaire le rejoignit, en proie à l'impression de pénétrer dans un autre monde. Le parquet était composé de larges planches qui craquaient à chaque pas. Enfin l'homme leva les yeux et lui tendit une main gigantesque, après l'avoir nettoyée sur sa blouse. Il avait le visage large et joyeux d'un enfant enthousiaste et de grands yeux voilés de tristesse.

« La lumière des bougies est plus reposante, déclara-t-il de sa voix puissante.

– Je suis d'accord. »

Dante dévisagea le nouveau venu du haut de son mètre quatre-vingt-dix. « Vous êtes donc commissaire.

– Je regrette de vous déranger. Que faisiez-vous ?

– Je crée une substance qui révolutionnera le monde. »

Intrigué, Bordelli demanda à en savoir plus. L'inventeur tira alors une moitié de cigare de la poche de sa blouse et l'alluma à une bougie, puis il s'assit de travers sur la paillasse.

« Cette substance rendra les rats heureux.

– Les rats ? »

– J'aime les rats. Je réprouve l'habitude qu'ont les hommes de les tuer pour la seule raison qu'ils se promènent dans les cuisines et effraient les femmes. La poudre à laquelle je travaille les rendra invulnérables.

– Je comprends.

– Non, vous ne comprenez pas. Vous pensez que les rats sont gênants et qu'ils véhiculent un tas de maladies, je le vois bien.

– C'est ce qu'on nous a toujours appris. »

Dante pointa sur Bordelli un index noueux.

« Voulez-vous que je les appelle ?

– Qui ?

– Les rats.

– Les rats ?

– Mais ne bougez pas. Ils ne vous connaissent pas, ils pourraient s'énerver. »

Le commissaire songea que son hôte était fou mais, en le voyant se déplacer agilement dans cette immense pièce éclairée à la bougie, il se dit qu'il avait peut-être perdu la tête, lui aussi. « Il en viendra combien ?

– Ne vous inquiétez pas, ce sont des amis. »

Dante produisit d'étranges sons, après quoi le sol commença à se peupler de bestioles sombres qui avançaient avec circonspection en flairant l'air. Il y en avait au moins une vingtaine. Elles se rapprochèrent de l'inventeur, qui se pencha et, posant un doigt sur leur pelage, se mit à chuchoter : « Geremia, Attila, Erminia, Achille, Desdemona.

– Comment les reconnaissez-vous ?

– Les Chinois aussi semblent tous identiques à première vue. » Il tira de sa poche un morceau de chocolat qu'il coupa et jeta par terre. Les rats s'en emparèrent, puis retournèrent calmement chez eux. Dante les salua de sa grosse voix de basse, avant de se tourner vers Bordelli.

« Du café ?

– Volontiers.

– J'en ai pour un instant. »

Il alla à la paillasse et s'affaira autour d'un alambic à serpentin. Il alluma la flamme dessous et versa une poignée de café en poudre à l'intérieur.

« Système breveté. Les graisses disparaissent et il ne reste que le meilleur. »

Bordelli observait, fasciné, le comptoir surchargé de mécanismes, d'engrenages et d'éprouvettes : il n'avait jamais rien vu de la sorte. Dante plongea ses deux grandes mains dans ses poches.

« Nous autres inventeurs consacrons notre vie au bien-être d'autrui. Mais, je l'avoue, je m'amuse énormément. »

Un ronflement se produisit : le café était prêt. Dante le versa dans deux curieuses tasses ovales.

« Une autre de mes inventions, annonça-t-il avec fierté.

– C'est ce que je pensais.

– Ces tasses sont adaptables à n'importe quelle bouche. Essayez donc. »

Le commissaire avala une gorgée. Une grosse goutte tomba sur ses chaussures.

« Tournez donc la tasse et cherchez l'angle approprié à votre bouche. »

Bordelli s'exécuta après avoir écarté les pieds. Il avait beau s'y efforcer, il ne parvenait pas à boire correctement. De plus, le café était mauvais. Il n'avait d'agréable que son fort goût de réglisse.

« Ce sera pour une autre fois.

– Je vais peut-être devoir la modifier...

– Monsieur, comme je vous l'ai dit au téléphone, j'ai une mauvaise nouvelle à vous annoncer.

– Je vous écoute.

– Il s'agit de votre sœur.

– Elle est morte ?

– Oui. »

Dante ralluma son cigare à une bougie et tira dessus à plusieurs reprises. La fatigue s'abattant une nouvelle fois sur lui, Bordelli s'installa avec plaisir dans un grand fauteuil.

« Comment est-elle morte ?

– Elle a succombé à une violente crise d'asthme, semble-t-il. Mais nous devons attendre les résultats de l'autopsie.

– Que vient faire la police là-dedans ?

– Il y a quelque chose qui cloche.

– Sachez que je ne veux pas la voir.

– Vous n'y êtes pas obligé.

– Ce n'est pas que je manque de courage. Je suis vieux et j'ai déjà vu de nombreux morts. Mais je ne veux pas voir pour la dernière fois ma sœur dans une morgue, recousue comme un poisson farci. Ça ne me plaît pas. Un autre café ?

– Non, merci. »

Dante se versa une autre tasse avant de continuer. « La vie est bizarre, n'est-ce pas ? J'ai parlé à ma sœur il y a quelques heures. Elle allait bien, elle semblait gaie. »

Il avala le café d'un trait, jeta la tasse vide sur la paillasse et se mit à arpenter la pièce, les mains enfoncées dans les poches, en faisant craquer le plancher, les yeux fixés sur un horizon imaginaire.

« *On est là comme sur les arbres les feuilles d'automne...* Qui était-ce ? Quasimodo ou l'autre... Ungaretti ? Oui, ce doit être Ungaretti[1]. »

Sa voix était reposante et sa chevelure vaporeuse communiquait un sentiment de paix, comme celle des anges du paradis. Il rejoignit Bordelli à pas lents, l'air perplexe, une moue semblable à celle de Mussolini sur les lèvres. « Morte... une crise d'asthme... » Il pencha la tête sur sa poitrine, puis la releva en plissant les paupières, comme pour mieux se souvenir.

---

1. *Soldats*, « Bois de Courton, juillet 1918 », traduit par J. Lescure, in *Vie d'un homme, poésie 1914-1970*, Gallimard, 1981.

« Morte », répéta-t-il. Il effectua un nouveau tour de la pièce, tandis que Bordelli s'endormait au rythme de ses pas. « Ce n'est pas intéressant, je le sais. Mais cela a failli m'arriver. Il y a un mois, peut-être deux, ou même l'année dernière...

– Vous souffrez d'asthme, vous aussi ?

– L'asthme n'a rien à voir avec ça. Vous voulez que je vous raconte ?

– Je vous en prie. »

Un bruissement s'ensuivit. Dante écarquilla les yeux et porta un index à ses lèvres.

« Chut ! Venez. » Il attrapa Bordelli par le bras et l'attira au centre de la pièce. « Fermez les paupières, monsieur le commissaire, il ne reste que quelques secondes.

– Quelques secondes avant quoi ?

– Chut ! Fermez les paupières. »

Bordelli s'exécuta avec un frisson d'émotion. Au bout d'un moment, Dante lui pressa le bras. « Maintenant ! Gardez les yeux fermés et dites-moi ce que vous sentez et entendez.

– Que suis-je censé sentir et entendre ?

– Chut ! Parlez plus bas. Contentez-vous de répondre à ma question.

– Je regrette, mais je ne sens ni n'entends rien.

– Exact ! Et pourtant, il y a quelqu'un qui vole autour de nous. »

Bordelli se dit une nouvelle fois que l'inventeur était fou, mais en rouvrant les yeux il vit des ombres se poursuivre en haut des murs et sur le plafond. D'instinct, il baissa la tête. Dante resserra les doigts sur son bras. « Regardez là ! »

Un grand oiseau volait sans remuer les ailes, provoquant par son passage autant d'ombres qu'il y avait de bougies dans la pièce.

« Qu'est-ce que c'est ?

– Un spectacle merveilleux, n'est-ce pas ?

– Qu'est-ce que c'est ? répéta le commissaire, à son tour fasciné.

– Agostino, un chat-huant plein de reconnaissance. Il y a trois ans, j'ai posé une attelle à sa patte brisée et lui ai donné la becquée pendant près d'un mois. Il vient me rendre visite de temps en temps. »

L'animal se rapprocha dans un silence parfait, se posa sur le bras levé de Dante et frotta le bec deux ou trois fois contre son épaule. Puis il s'envola et accomplit un autre tour de la pièce avant de s'engouffrer dans la cage d'escalier.

« Rebecca aussi aimait les animaux », déclara l'inventeur avant de regagner sa paillasse, suivi de Bordelli qui se rassit, un peu secoué. Il ralluma son cigare à la bougie la plus proche et pointa deux doigts contre son front. « Qu'est-ce que je disais ?

– Vous me parliez d'un épisode qui vous était arrivé.

– Exact. J'expérimentais depuis quelques jours un détergent révolutionnaire permettant de laver les assiettes sans les frotter, par simple immersion. Cette idée m'obsédait depuis de nombreuses années. La difficulté réside dans la nécessité de créer un produit qui ne soit pas toxique, comme le DDT.

– Le DDT est toxique ?

– Extrêmement toxique.

– Je l'ignorais.

– Vous êtes le deuxième à le savoir, puisque je suis le premier. Je me demande quand cette vérité sera publiquement révélée... »

Le commissaire songea à la bombe de DDT qu'il gardait sur sa table de nuit et au nombre de fois où il avait respiré ce produit. Résigné, il alluma une cigarette. « Comment faites-vous pour éloigner les moustiques ?

– J'étudie un système, mais cela demande du temps. Pour le moment, j'utilise du basilic.

– C'est efficace ?

– Pas tellement, mais j'aime l'odeur de cette plante.

– Ah ! je vois.

– Je vous parlais du détergent. Après avoir élaboré sa formule, je m'apprêtais à entrer dans la phase d'expérimentation. Vous vous y connaissez en chimie ?

– Je ne sais qu'une seule chose : l'eau s'écrit H_2O.

– Dans ce cas, j'éviterai les détails et me limiterai au concept.

– Merci.

– Voyons voir si vous allez me suivre... Bon, une nuit, j'ai allumé le feu sous le serpentin. J'adore mélanger les substances, cela équivaut un peu à assister aux mystères de la création de l'univers. Dieu a dû bien s'amuser à manipuler la matière pendant sept jours... »

Soudain, Dante se figea, fouilla dans ses poches, d'où il tira une feuille de papier froissée et un stylo avec lequel il se mit à griffonner. « Excusez-moi, il faut que je note cette idée, sinon je l'oublierai.

– Je vous en prie. »

Il écrivit quelques mots en marmonnant, les relut puis, secouant la tête, froissa la feuille et la jeta.

« Je n'ai rien dit, c'était une mauvaise idée... Donc, ce fameux soir, j'avais besoin d'un nitrate bien précis, à raison d'une cuillerée. Je suis donc allé chercher le flacon sur l'étagère. Je m'apprêtais à le verser dans le récipient quand je me suis ravisé : le liquide ne dégageait aucune odeur, alors qu'il aurait dû sentir très mauvais. Nous autres chimistes avons un odorat très développé. C'est le métier qui veut ça : nous reniflons tout ce qui nous passe entre les mains. Bref, le flacon ne contenait pas du nitrate, mais de la nitroglycérine. Savez-vous ce qui serait arrivé si je l'avais versé ? Boum ! On aurait retrouvé un petit tas de cendres, expliqua-t-il, la tête enveloppée dans la fumée du cigare.

– Était-ce de la distraction ?

– Non, le flacon portait le nom du nitrate en question. C'est inexplicable. Car je suis à ma façon très pointilleux. Vous voyez cette pièce ? Je sais où dénicher à chaque instant ce dont j'ai besoin, jusqu'à l'objet le plus petit. Je me demande encore comment cela a pu se produire. »

Le commissaire contempla l'énorme pièce babélienne, la paillasse qui disparaissait sous mille objets : il n'aurait pas misé une lire sur la minutie de Dante, qui fumait à présent en crachant des copeaux de tabac. « Avez-vous les clefs de la villa de votre sœur ? interrogea-t-il.

– Je dois les avoir quelque part. Est-ce important ?

– Je ne le sais pas encore. »

L'inventeur se mit à chercher parmi son fouillis. Il déplaça alambics et engins mécaniques bourrés de molettes, souleva liasses de feuilles et livres. « Je pensais les avoir rangées ici... » Résigné, il plongea les mains dans ses poches et laissa échapper un sourire. « Je les ai trouvées ! » s'exclama-t-il en les exhibant et en les faisant tinter comme une clochette.

Le commissaire, qui n'avait pas oublié les propos de Maria, insista : « Êtes-vous bien sûr qu'il s'agisse des bonnes clefs ?

– Vous pensez que ce sont les miennes ? Je croyais les avoir perdues...

– Cherchez-les tranquillement. Et si vous les trouvez, avertissez-moi.

– Eh oui, ce sont les miennes... Je vais les mettre ici pour éviter les perdre. » Il les pendit à un clou et les contempla un moment, sans doute pour mémoriser leur emplacement.

« Que pouvez-vous me dire de vos neveux ?

– Ces deux débiles ? Le testament de Rebecca leur réserve une belle surprise ! » Il éclata d'un rire sauvage.

« Une surprise ?

– Ma sœur a légué tous ses biens aux religieuses de Monte Frassinetto. Tableaux, nappes brodées et puces comprises. Une idée merveilleuse, n'est-ce pas ? Il me tarde d'aller chez le notaire et de savourer la scène !

– Vos neveux ne soupçonnent-ils rien ?

– Mais non ! Rebecca se gardait bien de les mettre au courant. Elle n'en avait parlé qu'à moi. » Son rire fut interrompu par une quinte de toux. Il se rapprocha de Bordelli et se dressa devant lui de toute sa masse. « C'est le plus beau tour qui soit, car l'absence de son auteur interdit toute possibilité de vengeance.

– Et vous, vous n'héritez de rien ? »

L'inventeur eut un large geste de la main. « Peut-être de menus souvenirs. Mais Rebecca savait que je ne voulais rien. J'ai établi moi aussi mon testament il y a longtemps. Savez-vous à qui je léguerai ma maison, mon laboratoire et toutes mes inventions ?

– Au Monte Frassinetto ?

– À la Confraternité des orphelins de Santa Veronica. J'ai déjà tout arrangé : cette maison sera transformée en école pour enfants défavorisés. Ce sera le collège Dante Pedretti... Oh, il ne s'agit pas de vanité de ma part, ne vous méprenez pas, c'est juste pour laisser une trace. Une consolation stupide et humaine.

– Très humaine.

– Avez-vous des enfants, monsieur le commissaire ?

– Non.

– Le regrettez-vous ?

– Il m'arrive d'y penser. J'aimerais avoir un fils de vingt ans, mais je n'ai pas eu la chance de lui trouver une mère.

– C'est exact. » Dante s'abîma une nouvelle fois dans ses pensées. « Croyez-vous en Dieu ? Possédez-vous le don de la foi ?

– Ce sont des questions complexes, et je vous avoue que je suis très fatigué. »

Dante, lui, ne l'était pas le moins du monde. Il déambulait dans la pièce en enjambant les obstacles dont le sol était jonché. « Croyez-vous que ma sœur nous regarde ? Ou qu'elle s'est évaporée totalement et à jamais ?

– Je n'ai guère envie d'y songer en ce moment.

– Cette histoire de foi m'a toujours intrigué. Je pense que les gens qui ont la foi ont de la chance et que les autres sont des malheureux.

– C'est possible.

– Vous avez une curieuse façon de converser, cher commissaire. J'ai la sensation que vous avez beaucoup de choses à dire et que vous vous en abstenez pour une raison que j'ignore. Je me trompe ?

– J'ai peut-être du mal à prononcer des jugements définitifs.

– Avez-vous entendu parler de Nicolas d'Autrécourt ? »

La conversation se poursuivit. Les deux hommes abordèrent de nombreux sujets. Une bouteille de grappa fut débouchée. Avec la chaleur, ils se mirent à transpirer et déboutonnèrent leurs cols de chemise. La fumée des cigares et des cigarettes stagnait dans l'air.

À 10 heures, ce matin-là, le commissaire se rendit à l'hôpital de Careggi et gara sa Coccinelle devant le service de médecine légale. Il pénétra dans le laboratoire de Diotivede et trouva le médecin frais comme un gardon.

« Tu n'as pas dormi, lui lança Diotivede.

– Et toi ?

– J'ai bu un café à la maison et je suis venu immédiatement.

– Diotivede, tu sais quoi ? Tu dois avoir un jumeau qui te remplace dans les moments difficiles. Tu es maintenant chez toi, en train de te reposer, et c'est ton jumeau, qui a dormi douze heures d'affilée, à qui je parle. »

Diotivede, qui préparait les instruments nécessaires à l'autopsie de Mme Pedretti, grimaça. « Des jumeaux, tous deux médecins légistes ?

– Ce serait magnifique. »

Tout en enfilant ses gants, il passa à côté de Bordelli et lui jeta un regard de travers.

« Ne t'approche pas. Si je devais t'autopsier aujourd'hui, j'inscrirais sur mon rapport, avant même de t'ouvrir, que tu as bu un litre de grappa.

– C'est la faute de Dante.

– Cesse donc de rejeter la faute sur les poètes. »

Bordelli s'adossa au mur et croisa les bras.

« Quand me donneras-tu les résultats ?

– J'allais commencer.

– Pour le dîner, que penses-tu de mercredi ? »

Diotivede approuva d'un hochement de tête.

« Bien, il ne me reste plus qu'à débusquer Botta. J'espère qu'il n'est pas en prison.

– Tu n'as qu'à l'en tirer pour mercredi.

– Ne me surévalue pas.

– Puis-je émettre un vœu ?

– Bien sûr.

– J'aimerais manger de la soupe aux haricots à la lombarde, déclara le médecin, le visage éclairé comme celui d'un enfant.

– Avec cette chaleur ?

– Ça fait un siècle que je n'en ai pas mangé.

– Bon, va pour la soupe. »

Il adressa un grand sourire au commissaire, puis s'approcha de la table et ôta délicatement le drap qui recouvrait la femme. « Si tu n'as pas envie de voir, tu n'as qu'à sortir.

– Envoie-moi vite les résultats.

– Je t'appellerai. »

Une fois sur le seuil, Bordelli se retourna. « Diotivede, tu savais que le DTT est toxique ?

– Ça ne m'étonnerait pas. »

Il regarda le bistouri s'attaquer au ventre de la défunte, puis quitta la pièce.

Alors qu'il descendait de sa Coccinelle, dans la cour du commissariat, Bordelli repensa à Dante. Il avait l'impression d'avoir rêvé et il se sentait pour le moins hébété. À en juger par le regard de Mugnai, il devait avoir une sale tête. Il lui précisa : « J'ai cinquante-trois ans, mon cher Mugnai, et quand je passe une nuit blanche, ça se voit.

– Je n'ai rien dit, monsieur.

– Pardon, je suis juste un peu fatigué. » Il s'engagea dans le couloir, flanqué de l'agent. « Tu savais que le DDT est toxique ?

– J'utilise les spirales antimoustiques. Elles sentent mauvais, mais elles sont efficaces.

– Dès que tu verras Piras, envoie-le-moi.

– Bien sûr, monsieur. »

Bordelli pénétra dans son bureau, où régnait un climat tropical, et s'affala sur sa chaise. Un élancement lui transperça la tête. Il alluma ce qu'il qualifia de première cigarette de la journée et la savoura. Puisqu'il arrêtait de fumer, il consumait ses « quelques » cigarettes jusqu'au filtre. La dernière bouffée était répugnante. Il écrasa le mégot dans le cendrier et plongea la main dans sa poche à la recherche du bout de papier sur lequel il avait noté le numéro des neveux de la défunte. Il était froissé, et il le déplia comme un emballage de bonbon. D'habitude, il n'accordait guère d'importance aux jugements des gens – souvent partiaux et injustes, fruit d'animosités personnelles –, mais l'acharnement et la conviction de Maria éveillaient ses soupçons. Il composa le numéro. Une voix de femme répondit :

« Allô ?

– Bonjour. Ici, le commissaire Bordelli, je souhaite parler à l'un des neveux de Mme Pedretti Strassen.

– Il est arrivé quelque chose ? »

Le commissaire entendit un murmure prolongé et une musique dont on baissait brusquement le son.

« Veuillez m'excuser, mais je dois parler à l'un de ces deux messieurs. Est-ce possible ? »

Un instant de silence s'ensuivit, puis son interlocutrice dit d'une voix forte : « Bien sûr. À qui voulez-vous parler ? Giulio ou Anselmo ?

– Peu importe.

– Anselmoooo ! Voilà, il arrive. »

Des pas pesants retentirent, un chuchotement précéda un nouveau murmure et une voix masculine, nasale, demanda :

« Bonjour. À qui ai-je l'honneur ?

– Ici le commissaire Bordelli. Vous êtes monsieur...

– Morozzi. Qu'est-il arrivé ?

– Monsieur Morozzi, j'ai une mauvaise nouvelle à vous annoncer.

– Je vous écoute.

– Votre tante Rebecca est décédée cette nuit.

– Oh ! mon Dieu ! Pauvre tante, je suis désolé...

– Je vous présente mes condoléances.

– Merci, monsieur le commissaire.

– J'aimerais m'entretenir avec votre frère et vous. »

Anselmo poussa un soupir avant d'interroger :

« À quel sujet ?

– Je vous le dirai lorsque nous nous verrons.

– Y a-t-il des problèmes ?

– Peut-être.

– Comment ça, peut-être ? Vous ne pouvez rien me dire ?

– Non.

– Très bien. Où nous attendez-vous ?

– Au commissariat central. Après-demain à midi.

– Comme vous le souhaitez. »

Jouant la carte du policier soupçonneux, Bordelli demanda : « Vous ne voulez pas savoir de quoi votre tante est décédée ?

– Elle était malade. Je ne suis pas surpris qu'elle soit morte subitement.

– Je comprends. Au revoir, monsieur Morozzi. »

Le commissaire raccrocha, agacé. La voix d'Anselmo lui avait déplu, tout comme son souffle court qui bruissait dans le combiné. Il essaya de se le représenter, puis y renonça : il faisait trop chaud.

« Salut, Piras. » Bordelli passa les doigts sur ses yeux rouges. « J'aimerais t'emmener visiter une villa.

– Tout de suite ?

– Oui. Trouve-nous un livre, une bouteille d'eau, un verre et un flacon à médicaments. Je t'attends dans la cour. »

Les deux hommes parcoururent à bord de la Coccinelle les rues désertées par les piétons à cause du soleil de midi et s'engagèrent bientôt dans la via delle Forbici. Le bruit du moteur allemand rebondissait sur les murs, comme dans les villages abandonnés par la guerre durant la retraite nazie.

« Tu as tout trouvé, Piras ?

– Tout. »

Le commissaire rétrograda et le pot d'échappement produisit une détonation.

« C'est la carburation, affirma le Sarde.

– Dès que possible, je l'emmènerai chez le médecin. Et maintenant, écoute-moi bien, Piras. Je vais te montrer la pièce où une sexagénaire est morte cette nuit. Voilà grosso modo tout ce que nous avons appris. » Il lui parla de l'allergie, du pollen de maté, des soupçons de la dame de compagnie, de Dante et du testament.

Ils pénétrèrent ensuite dans la villa, où ils furent assaillis par l'odeur des meubles anciens et de la poussière. À l'intérieur de la chambre, Bordelli disposa l'un après l'autre les objets que Piras avait apportés de manière à reconstituer la scène. Portant les mains à sa gorge, il montra à Piras à quel endroit et dans quelle position il avait trouvé le cadavre, puis il s'assit et alluma une cigarette.

« Nous allons jouer à un jeu, Piras. Fais comme si tu savais qu'il s'agit d'un meurtre, alors que l'autopsie attribue avec certitude la mort à une violente crise d'asthme. La question est la suivante : comment l'assassin a-t-il tué sa victime ? »

Le Sarde eut un petit sourire. « Je peux tout de suite vous dire une chose, monsieur.

– Vas-y.

– Êtes-vous sûr d'avoir tout remis à la bonne place ?

– Sûr et certain. »

Piras saisit le flacon qui représentait l'Asmaben.

« Le bouchon était-il vissé ?

– Oui.

– C'est bizarre. Tout le reste évoque une grande agitation, mais le bouchon...

– Exact. »

Il reposa le flacon, alla ouvrir la fenêtre, sans doute parce que la fumée le dérangeait, et fit quelques pas en promenant ses yeux noirs d'un objet à l'autre. Enfin il s'immobilisa.

« Dans votre jeu, l'assassin a-t-il un alibi ?

– Oui, étant donné qu'il a tout organisé pour tuer sans être démasqué.

– C'est un sacré problème.

– Voilà pourquoi je fais appel à toi. Veux-tu t'occuper de cette affaire ? Avec moi, bien entendu.

– D'accord. Puis-je vous poser une question, monsieur ?

– Je t'écoute.

– Est-ce une charge officielle ou une de vos idées ?

– Une idée bien à moi, Piras. Mais, si nous résolvons l'affaire, le mérite te reviendra aussi, et tu obtiendras certainement de l'avancement.

– Encore une chose. Avez-vous une hypothèse ou naviguez-vous dans le noir ?

– Je navigue dans le noir complet. Et je n'ai même pas les résultats de l'autopsie. Peut-être établiront-ils que la défunte est morte sans l'aide de personne. Mais cette histoire ne me plaît pas. J'ai l'impression qu'une grosse mouche bourdonne dans ma tête.

– Vous avez besoin de sommeil.

– Tu as peut-être raison. Bon, réfléchis à ma devinette. Je te donne rendez-vous demain à 21 h 30 dans mon bureau, j'aurai les résultats de l'autopsie. Mieux vaut faire le point de la situation avant d'interroger les Morozzi.

– D'accord. »

Les deux hommes repartirent en laissant la fenêtre ouverte. Au cours du trajet, Piras ne prononça pas un mot. Bordelli souriait en son for intérieur : ce silence nuragique, chargé de pensées, le ramenait aux patrouilles qu'il avait effectuées avec le père du garçon.

À 21 heures, le commissaire se déshabilla et s'allongea, nu, sur son lit. La chaleur persistait. Il n'avait presque rien mangé et il avait du mal à s'endormir : encouragés par l'absence de DDT, les moustiques le piquaient partout, en particulier sur les veines des mains. Il songea qu'il achèterait dès le lendemain des spirales antimoustiques et, glissant ses mains écorchées sous sa nuque, riva le regard au plafond. Il pensa à Dante, à Maria, à l'intelligence des rats. Il avait lu quelque part qu'il y avait, pour chaque homme, sept femmes et un million de rats : la supériorité numérique de ces derniers leur aurait permis de dominer le monde, disait-on. Mais cette affirmation valait peut-être pour les femmes – il ne s'en souvenait plus.

Il se réveilla le lendemain vers midi, en nage et courbatu, tandis que les cloches sonnaient à l'église voisine : il y avait toujours un prêtre pour les actionner, même au mois d'août. Il posa les pieds sur le sol et fut saisi par un élancement qui lui transperça la tête, comme un clou enfoncé dans du beurre. Il avait la langue collée au palais et il se sentait vieux. Mais il ne l'était pas, se dit-il, pas le moins du monde. Tout ça, c'était la faute des mauvais souvenirs et de son métier.

Il gagna la salle de bains, les doigts pressés sur les tempes, se rinça les mains et le visage à l'eau froide. En relevant la tête, il découvrit dans le miroir un quinquagénaire aux cernes profonds et aux joues flasques. Il s'appuya contre le lavabo pour mieux s'examiner et eut une pensée pour les soixante-dix ans de Diotivede, sa lucidité, sa démarche juvénile. Dix-sept ans les séparaient, rien de moins, c'était une belle consolation.

Il se rasa en espérant que la lame emporterait aussi la fatigue qui s'était accumulée dans ses rides comme de la saleté invisible et s'octroya une douche fraîche. Puis il réchauffa le café du matin et l'avala. Dehors, l'asphalte mou et brûlant renvoyait des reflets sahariens, il dut fermer les yeux à demi pour éviter d'être ébloui.

À 13 heures, il gara sa Volkswagen devant la trattoria Da Cesare et, après avoir laissé les vitres entrouvertes, se dirigea vers sa « cantine ». Il aimait cet endroit où il avait l'impression de manger entre amis. À son entrée, plusieurs mains se levèrent en signe de salut. Autour des tables, se pressaient des maris laissés seuls en ville par leurs épouses parties au bord de la mer. Il avait pour sa part une place réservée dans la cuisine brûlante, près des fourneaux de Toto, le cuisinier le plus petit d'Europe. Il s'assit donc sur son tabouret habituel et appuya les épaules contre le mur.

« Salut, Toto, j'espère que tu ne vas pas encore me servir du sanglier.

– Bonjour, monsieur le commissaire. Qu'est-ce que vous avez contre le sanglier ?

– Rien, l'hiver...

– D'accord, pas de sanglier. Aujourd'hui nous avons aussi de la soupe pour les esprits raffinés.

– Je n'arrive pas à le croire ! »

En général, les plats de Toto nageaient tous dans la graisse, dont on trouvait des traces jusque dans la macédoine de fruits. La soupe était un cas unique, mais Bordelli découvrit bientôt qu'elle contenait une quantité inouïe d'oignons. Il décida que ce serait là tout son déjeuner. Il contempla le cuisinier qui jonglait avec ses poêles et songea que passer l'été dans une cuisine, devant les flammes éternelles des fourneaux, constituait une sorte de mission : la chaleur y était aussi brutale qu'un coup de massue sur la tête, et le seul fait de respirer requérait un effort. Mais couper la parole à Toto était une entreprise impossible : le formidable cuisinier était doublé d'un conteur-né.

« ... Comme ce cousin parti en Amérique en 1932 pour être manœuvre et qui gagne aujourd'hui plus d'argent qu'un avocat. » S'ensuivaient mille anecdotes aux relents mythologiques. Parfois, il évoquait des vendettas qui duraient depuis trente ans, énumérant les morts jusqu'au dernier. Il recevait des nouvelles de son village par courrier ou par téléphone avec des descriptions de visages écrabouillés par des fusils à canon scié et de corps strangulés. Bordelli l'écoutait volontiers : il appréciait son parler musical et ses manières un peu désuètes.

« Tu m'as donné un de ces vins, Toto...

– Vous ne l'aimez pas, monsieur le commissaire ?

– Il est bon, mais on dirait du sang.

– C'est notre raisin, il est normal qu'il contienne du sang!» Le cuisinier souleva un couvercle, libérant une boule de fumée grasse qui alla s'écraser contre le plafond.

Il était déjà 14 heures. Bordelli quitta son tabouret et s'étira comme s'il abandonnait son lit, puis pressa l'épaule de son hôte. « Au revoir, mon ami.

– Portez-vous bien, monsieur le commissaire.

– Je vais essayer. »

Pour une fois il avait l'impression d'être assez léger. Il s'apprêtait à monter en voiture quand une main lui toucha l'épaule. Il pivota. Près de lui se tenait un septuagénaire à l'air gentil et las, doté d'une petite tête animée de mouvements saccadés comme celle des serpents.

« Vous permettez ? Je suis Aldo Affumicato.

– Enchanté. Bordelli. »

L'homme referma ses doigts sur ceux de Bordelli et demanda, gêné :

« Auriez-vous une minute à m'accorder ?

– Eh bien...

– Je ne sais pas à qui parler et j'ai des choses très importantes à dire. Auriez-vous une minute ?

– Je vous en prie..., dit Bordelli qui brûlait en réalité de filer.

– Voyez, j'ai travaillé pendant seize ans au ministère de l'Économie. Savez-vous en quoi consistait mon travail ? »

Bordelli attendit la réponse en vain. L'homme reprit :

« Vous ne me demandez pas en quoi consistait mon travail ?

– Excusez-moi... En quoi consistait-il ? »

– Vous partiez, peut-être ?

– Ça ne fait rien, je vous écoute.

– Oh ! ne vous inquiétez pas, je dispose de beaucoup de temps. Où en étais-je ?

– Vous me parliez de votre travail au ministère...

– Ah... m'aviez-vous déjà demandé en quoi il consistait ?

– Je crois.

– Eh bien, je devais communiquer tous les trimestres la production charcutière d'une région déprimée de la Basilicate... Je vous ennuie, peut-être ?

– Je vous en prie, continuez. »

Les deux hommes se tenaient debout sous le soleil du début d'après-midi, mais l'employé du ministère ne semblait pas le remarquer.

« Voyez, je suis originaire d'un village proche de Turin, dont je ne vous dirai pas le nom car vous ne le connaissez pas. Accepter ma mutation dans le Sud fut un grand sacrifice, je vous l'assure.

– Je comprends.

– J'étais censé adresser mes comptes rendus au bureau central du ministère de l'Économie. Je les tapais moi-même à la machine, j'avais pris mon travail très à cœur. Mais quelque chose me paraissait bizarre. Vous savez quoi ?

– Quoi ?

– Le ministère ne m'avait jamais envoyé ni réponse ni instructions. Le silence le plus complet. À l'exception de mon salaire, bien sûr, un talon vert indiquant le virement sur un compte courant de la poste. C'est tout.

– Vraiment ?

– Je vous en donne ma parole d'honneur. Pas une seule lettre, pas un seul coup de téléphone. Et quand j'essayais d'appeler, la ligne était toujours occupée. Vous savez ce que j'ai fait?

– Qu'avez-vous fait?

– Un jour, je suis monté dans un train, direction Rome. Je voulais comprendre pourquoi je n'avais jamais reçu de communication officielle... à l'exception de mon salaire, bien sûr, un talon vert signalant... je vous l'ai déjà dit, n'est-ce pas?

– Je crois.

– Bref, je suis parti pour Rome sans l'annoncer à personne. Les employés du ministère ont refusé de me laisser entrer, car ils ne m'avaient jamais vu. Il m'a fallu prouver mon identité. J'ai trouvé le responsable de l'analyse des productions méridionales penché sur des mots croisés, mais peu importe. Savez-vous plutôt ce que j'ai découvert?

– Quoi?

– Mes comptes rendus étaient tous là, encore dans leurs enveloppes et entourés d'une bande de papier collée. Soixante-trois enveloppes jamais ouvertes, vous comprenez?

– Comment cela est-il possible?

– Personne n'en avait jamais lu un seul. Vous vous rendez compte?

– Je suis stupéfait.

– J'ai réclamé des explications. Vous savez ce qu'on m'a dit?

– Que vous a-t-on dit?

– Que ces données n'intéressaient personne, que mes recherches étaient totalement inutiles. Mon emploi avait servi à autre chose, une histoire de politique. Vous savez ce que j'ai ressenti?

– Quoi?

– De l'amertume, beaucoup d'amertume. Je n'arrive pas à me faire à l'idée que j'ai passé seize ans à accomplir une tâche inutile.» L'homme eut un petit sourire triste. «Et vous, que faites-vous, monsieur... Brodello?

– Bordelli. Je suis commissaire de police.

– Enchanté. Je m'appelle Aldo Affumicato, auriez-vous une minute à m'accorder? J'ai des choses à dire et je ne sais à qui parler.» Il lui tendit une main froide, que Bordelli serra.

«Monsieur, vous devriez oublier tout cela et vous octroyer des vacances.

– Vous croyez?

– Je pense que cela vous ferait du bien.

– Dans ce cas, vous savez ce que je vais faire?

– Non.

– Je vais aller au ministère réclamer une mission importante. Qu'en pensez-vous?

– Je ne sais pas.

– Je vais y aller... Et vous, que faites-vous, monsieur Brodello?»

Ce fut une demi-heure difficile, mais le commissaire parvint à s'éclipser. Il sauta dans sa Coccinelle et démarra. Il régnait dans l'habitacle une chaleur à vous couper le souffle.

Songeant que Diotivede devait être bien avancé dans son travail, Bordelli se hâta de le rejoindre. À la morgue, la température, véritablement agréable, le revigora. Son arrivée ne troubla nullement le médecin, en voyage dans le monde minuscule et immense du microscope. Au fond de la salle, se trouvait la civière sur laquelle était installé le cadavre de Mme Pedretti Strassen. Il y avait sur le drap qui le recouvrait une tache sombre à la hauteur du ventre.

« Tu sais, Diotivede, si j'exerçais ton métier, je serais incapable de manger du foie de volaille... ou de la tripe.

– Je ne vois pas pourquoi.

– Tu ne l'imagines donc pas ? »

Diotivede détourna la tête du microscope, et le monde lui réapparut à grandeur naturelle. « Tu n'as rien à faire dans ton bureau ? »

Bordelli comprit qu'il s'était aventuré une nouvelle fois sur un terrain délicat. Le médecin n'était pas susceptible, mais il avait du mal à supporter certaines réflexions. Les blagues et les lieux communs dont les profanes le tourmentaient depuis des décennies au sujet de sa profession l'agaçaient au plus haut point. Il avait le sentiment d'exercer un métier comme un autre, un métier qu'il aimait, et il ne s'estimait pas différent d'un menuisier ou d'un peintre.

Bordelli aimait le taquiner amicalement, voir une déception enfantine se peindre sur son visage. Mais il savait s'arrêter, aussi changea-t-il de sujet. « Tu as des informations pour moi ?

– Tu les veux tout de suite ou tu préfères attendre mon compte rendu ? répliqua le médecin sans cesser de s'affairer autour de ses instruments.

– Tu sais bien que je suis impatient. »

Diotivede poussa un soupir et le rejoignit en ôtant ses gants.

« La femme est morte vers 9 heures, tuée par une violente crise d'asthme qui a provoqué un arrêt cardiaque. Mais, écoute ça : si le flacon contenait bien de l'Asmaben, il n'y en avait aucune trace dans les gouttes d'eau que j'ai prélevées à l'intérieur du verre.

– Nous y voilà...

– Ce n'est pas tout. Pas de trace du médicament non plus dans le sang ni dans l'estomac. Alors qu'il y en avait en abondance sur la langue.

– Comme si on lui avait versé le médicament dans la bouche après sa mort... »

Diotivede fit un de ses rares et brefs sourires, un pincement de lèvres que seuls pouvaient déchiffrer les membres de son entourage et qui n'annonçait pas forcément une réflexion amusante. De fait, il se contenta de dire, non sans satisfaction :

« C'est à toi de le découvrir.

– Des empreintes ?

– Nombreuses, toutes de la défunte.

– As-tu analysé les pages du livre ?

– Rien d'intéressant. »

Bordelli se mordit un ongle, déjà à moitié cassé, qui s'accrochait au tissu de sa poche chaque fois qu'il y fourrait la main. « Rien d'autre ? »

Le médecin alla se laver les mains à un minuscule lavabo. « Pour l'instant non, mais je n'ai pas terminé.

– Tiens-moi au courant. Je vais rassembler mon courage et retourner en Afrique.

– Il fait si chaud que ça chez vous ? lança Diotivede avec un sourire mauvais.

– Un entraînement à l'enfer.

– Alors j'y ferai un saut de temps en temps. » Muni d'un bistouri, il se rapprocha de la civière de Mme Pedretti.

Bordelli l'abandonna à son bien-aimé travail et remonta dans la Coccinelle pour regagner le commissariat. Un long après-midi inutile l'attendait. Il n'avait qu'une seule certitude : son rendez-vous avec Piras à 21 h 30 pour faire le point de la situation. Il atteignit la cour en nage : il n'y avait pas un souffle d'air, et ses vêtements lui collaient à la peau comme des sangsues. Travailler en août avait toutefois des avantages : les couloirs étaient moins bruyants et M. Inzipone prenait ses vacances en famille.

Un peu plus tard, Bordelli immobilisa sa voiture devant l'immeuble de Botta. Le ciel se couvrait et l'humidité était insupportable. Il n'y avait qu'une seule chose à souhaiter : qu'il se mette à pleuvoir. Botta habitait un sous-sol, via del Campuccio, à deux pâtés de maisons de chez le commissaire. Les deux hommes se connaissaient depuis près de quinze ans. Ennio Bottarini, dit Botta[1], avait été arrêté après avoir enjambé le mur d'une villa et atterri juste devant deux agents à vélo qui passaient là par hasard : la vraie poisse. Dans ses poches, on avait trouvé des colliers, une montre en or, la statuette en bronze d'une Vénus nue et même un cendrier en verre.

Au commissariat, il s'était mis à philosopher, évoquant une mystérieuse série d'injustices. Comme personne ne l'écoutait, il avait demandé à parler à un haut gradé avec

1. « Botta », diminutif de « Bottarini », signifie « Coup » en italien.

tant d'insistance qu'on l'avait contenté pour s'en débarrasser. Botta portait déjà sur son visage les marques d'une vie dure et misérable. Petit et agile, il avait des yeux de génie ignare qui séduisirent Bordelli.

« Monsieur le commissaire, je suis heureux de faire votre connaissance.

– Je ne suis pas commissaire.

– Cela ne saurait tarder, monsieur le commissaire, cela ne saurait tarder.

– Pourquoi voulais-tu me voir ?

– Je m'appelle Botta. Je sais que vous pouvez me comprendre. Des amis vous ont décrit comme un homme juste.

– Des amis ?

– Gino Gamba et Bestia. » Deux contrebandiers.

« Je t'écoute.

– Monsieur le commissaire, regardez-moi. Ai-je l'air d'un criminel ? Je n'ai même pas de canif sur moi. Je pénètre dans les villas des millionnaires, des riches qui ont pour bibelots mes repas d'une année entière. Je prends deux ou trois de ces objets pour survivre, et si on me pince j'écope de cinq ans. Dites-moi si c'est une vie.

– Combien de fois as-tu été au trou, Bottarini ?

– Pas souvent en Italie.

– Tu as aussi travaillé à l'étranger ? »

Botta avait sursauté. « Vous voyez, monsieur le commissaire ? Vous avez dit *travaillé*, pas *volé*... Je savais bien que vous comprendriez.

– Pas si vite, Botta, pas si vite... »

Ils avaient parlé un moment de tout et de rien. Botta avait décrit en détail les prisons européennes, expliqué les différences entre les geôliers espagnols et les geôliers turcs, livrant une sorte de leçon d'anthropologie. Ce voleur n'était pas un homme ordinaire et Bordelli avait fini par le raccompagner chez lui. Ils avaient dîné ensemble de tripes et d'oignons en buvant une piquette que Botta avalait par carafes entières.

Grâce à l'intervention de Bordelli, Botta avait obtenu une condamnation minime de dix mois, et il était sorti au bout de quatre pour bonne conduite. Liés par cette sorte d'amitié, ils avaient pris l'habitude de dîner ensemble au Lordo, via dell'Orto, ou d'évoquer la guerre, assis sur un muret de l'Arno, et quand ils se perdaient de vue, ils finissaient par se retrouver. Un an plus tôt, Bordelli avait découvert que le voleur était un excellent cuisinier : il avait organisé un dîner français inoubliable.

Le commissaire frappa aux carreaux avec les clefs de sa Coccinelle.

« Ennio, tu es là ? »

La fenêtre s'entrouvrit.

« Monsieur le commissaire !

– Je te dérange ?

– J'arrive tout de suite. »

Au bout d'une longue minute, la porte d'entrée s'ouvrit et Botta apparut en tablier. Il s'en servit pour se nettoyer les mains et en tendit une à Bordelli.

« Bonjour, monsieur le commissaire, je faisais du café. »

En descendant vers l'antre de son ami, Bordelli perçut une étrange odeur de brûlé.

« Qu'est-ce que tu prépares ?

– Rien de comestible. Je rends service à un ami.

– Service ?

– Des pièces de monnaie anciennes. Je les fais bouillir dans de la boue pour leur donner une patine.

– Une arnaque...

– Mais non, c'est une façon de satisfaire les touristes.

– Le point de vue change tout. »

La cafetière commençait à siffler quand ils pénétrèrent dans l'appartement. On s'y sentait mieux que dans la rue : il y avait ces trois degrés de moins qui faisaient toute la différence. L'habitation se composait de deux grandes pièces sombres, pauvrement mais soigneusement meublées. L'une, dotée d'un lit et d'une vieille armoire, tenait lieu de chambre. L'autre, de cuisine, mais aussi de salon, d'atelier, etc. Une photo encadrée de Fred Astaire en mouvement était accrochée à un mur. Ennio n'avait pu satisfaire sa passion dévorante pour la danse. Mais il en avait eu beaucoup d'autres, comme tous les sentimentaux.

Bordelli avisa sur la table une dizaine de montres à moitié démontées.

« Tiens, encore un travail à ne pas raconter à un flic !

– Je change les cadrans, commissaire, et les montres de Forcella se transforment en montres suisses.

– Je ne veux rien savoir. Buvons donc un café. »

Ennio prépara les tasses à sa manière, en y versant d'abord du sucre en poudre et en omettant volontairement la cuillère.

« Quel bon vent vous amène, monsieur le commissaire ?

– J'aimerais organiser un dîner chez moi. Qu'en penses-tu ?

– Quand ?

– Mercredi, tu es libre ?

– Mercredi... mercredi... oui, ça me va.

– Bon, j'avertis les autres.

– Les mêmes que la dernière fois, non ?

– Et si j'en ajoutais deux ? »

Ennio se rembrunit. « Des policiers ?

– Ne t'inquiète pas. L'un d'eux est le fils d'un vieux copain et l'autre un scientifique ami des rats.

– Je n'ai rien contre.

– Bon, tu as carte blanche pour tout. À un détail près : Diotivede a émis un souhait.

– Si je suis à la hauteur...

– Une soupe aux haricots à la lombarde. Tu te rends compte, avec cette chaleur... »

Le visage d'Ennio s'éclaira.

« Je ne veux pas me vanter, mais c'est une de mes spécialités. Peu importe la chaleur, il faut juste trouver les bons haricots. Pour le reste, j'ai déjà une idée. »

Venait à présent l'opération la plus délicate, car Botta était très sensible. Bordelli toussa dans son poing et tira son portefeuille de sa poche avec le plus de désinvolture possible. « De combien as-tu besoin ? »

Saisi d'un embarras digne d'un gamin, Botta garda le silence, aussi le commissaire posa-t-il sur la table un billet de dix mille lires et deux de mille. « Ça devrait suffire.

– C'est trop, monsieur le commissaire, reprenez les deux de mille », dit le voleur, cramoisi, en rendant ces billets.

Mais Bordelli les remit sur la table. « Tu en auras besoin, tu verras.

– Un bon cuisinier se reconnaît d'abord à ses dépenses.

– S'il t'en reste, tu n'auras qu'à acheter un peu plus de vin.

– Un jour ou l'autre, c'est moi qui vous paierai un beau dîner, je vous le jure.

– Laisse tomber, Botta, tu as déjà assez payé. » Le commissaire abattit une main sur l'épaule de son ami, puis l'abandonna à ces montres dotées d'un visage suisse et d'un cœur napolitain.

Dans la rue, la chaleur était épouvantable. La pluie ne se décidait pas à tomber. Il tenta de se distraire en songeant à ses prochains invités et se demanda si le Dr Fabiani était en ville. Il avait fait connaissance de ce vieux psychanalyste mélancolique l'année précédente, au cours d'une enquête, et, très impressionné, l'avait invité pour Noël à dîner avec Botta et Diotivede. Ils avaient passé un moment agréable. Au milieu de la nuit, chacun avait raconté un épisode de sa vie en sirotant du cognac.

Revenu à son bureau, Bordelli trouva sur sa table un mot écrit à la main : « Il faut que je te parle, je repasserai tout à l'heure. Tante Camilla. » Tante Camilla était la mère de Rodrigo. Cette visite insolite l'intrigua. Il expédia deux ou trois tâches au téléphone et acheva de lire le procès-verbal d'une arrestation pour meurtre, une affaire limpide, une rixe, un couteau, de nombreux témoins. Le meurtrier était un jeune Calabrais dont on avait insulté la mère. En ville depuis quelques jours seulement, il ignorait que, dans cette région-ci d'Italie, ce genre d'insultes était aussi commun et inoffensif qu'un simple bonjour. Une histoire triste d'incompréhension culturelle. Il parcourut les dernières lignes : « ... alors que Pratesi Bruno apostrophait Loporco

Salvatore en lui lançant les mots "fils de pute", Loporco exhiba une arme blanche dotée d'une lame de quinze centimètres et se rua sur Pratesi, qu'il toucha à plusieurs reprises au thorax et à l'abdomen en prononçant dans son dialecte la phrase : "Ça t'apprendra à mentionner la sainte femme que j'ai pour mère." D'après les témoins, Loporco... »

C'est alors qu'on frappa. Mugnai passa la tête dans l'entrebâillement de la porte et dit : « Votre tante est ici.

– Fais-la entrer. »

Tante Camilla était un peu disproportionnée : seule la partie basse de son corps était grosse. L'air toujours un peu étonné, elle avait ce jour-là le regard plus inquiet qu'à l'accoutumée. Bordelli se leva pour aller à sa rencontre. « Tantine, que se passe-t-il ? »

Elle posa les sacs de courses sur une chaise et déclara : « Je voulais te parler de Rodrigo. Il devient bizarre.

– Je l'ai vu récemment, il se portait très bien... enfin, il paraissait normal.

– Cela remonte à quelques jours...

– Bizarre, comment ça ?

– Il est bizarre. Une mère sent ces choses-là. »

Le commissaire s'assit au coin du bureau en songeant que son cousin était depuis longtemps un casse-pieds. « Explique-toi mieux.

– Il ne sort plus, il ne se rase plus, il ne répond plus au téléphone. Quand je lui rends visite, il ne m'invite pas à entrer et il lui tarde que je m'en aille.

– Si je ne m'abuse, il s'est conduit de la sorte il y a quatre ans, quand tu avais offert ses vieilles chaussures à don Cubattoli.

– Cette fois, c'est pire.

– Ah oui ?

– Va donc le voir. Parle-lui un peu, il t'ouvrira peut-être son cœur.

– Pourquoi ?

– Tu es son cousin... et tu es commissaire.

– Deux défauts, selon lui.

– Juste une petite visite, rends-moi ce service. Je suis inquiète.

– D'accord, tantine, je l'appellerai tout à l'heure.

– Et s'il ne répond pas ?

– J'irai chez lui.

– Promis ?

– Promis.

– Merci, chéri, que Dieu te bénisse », dit-elle en se haussant sur la pointe des pieds pour l'embrasser et lui pincer la joue.

Bordelli l'accompagna jusqu'à la sortie en lui portant ses courses. « Au revoir, tantine, et bonjour à tonton Franco.

– Merci, mon petit.

– Je te téléphonerai dès que j'aurai des nouvelles. »

Il la regarda par la fenêtre s'éloigner d'un pas leste sur les pavés de la cour. À soixante-treize ans, elle était encore forte et en bonne santé. C'était la sœur de son père, ce qui en disait long sur la santé des Bordelli. Seul un accident pouvait entraîner chez eux une mort précoce. Ce qui était, du reste, arrivé à son père, Amedeo Bordelli, un grand homme robuste au visage large de gentil boxeur, tombé d'une fenêtre alors qu'il peignait les arrêts des volets.

Bordelli regagna son bureau et constata qu'il était tout juste 20 heures. N'ayant pas très faim, il sortit manger une bricole au bar d'en face et acheta deux bières fraîches. Il rangea la première dans le dernier tiroir du classeur et décapsula la seconde avec ses clefs : pas une fois, en l'espace de quinze ans, il n'avait réussi à se munir d'un ouvre-bouteille.

Il alluma une cigarette, composa le numéro de Rodrigo et attendit longtemps, en vain. Il recommença une demi-heure plus tard sans plus de résultat. « Bordel, pesta-t-il, une visite s'impose. » Il n'avait aucune envie de parler à son cousin, mais il l'avait promis à sa tante et il ne pouvait donc pas se dérober. Il finit par se dire qu'il y avait pire, dans la vie, qu'un cousin méticuleux et bileux. Et puis cette histoire de barbe l'intriguait... Il n'avait jamais vu Rodrigo les joues hirsutes.

À 21 heures, il régnait dans son bureau une telle chaleur que Bordelli avait la sensation d'être prisonnier d'une main énorme, chaude et moite. Il alluma une cigarette – la quatrième ou la cinquième, il ne s'en souvenait pas – et songea que c'était de toute façon un bon résultat : quelques mois plus tôt, à l'heure qu'il était, il en aurait déjà fumé trente. Dehors, une faible lumière persistait. Les nuages continuaient de s'amonceler et l'on entendait de temps en temps un coup de tonnerre au loin, mais toujours pas de pluie.

Il saisit le combiné et composa le numéro de Fabiani. Le psychanalyste se réjouit de son invitation. Pas plus que lui, il ne quittait la ville au mois d'août. Il paraissait de bonne humeur, même si sa voix était comme d'habitude veinée de tristesse. Quand Bordelli l'avait rencontré, il était rongé par le remords : un accident dans son travail s'était mué en tragédie. Ils prirent donc rendez-vous pour le dîner et se saluèrent.

Les yeux dans le vide, Bordelli en vint étrangement à rêver à la femme de sa vie, cette femme qu'il n'était pas destiné à trouver. Il essayait de l'imaginer, de se la représenter, mais il n'y arrivait pas. Une chose était certaine toutefois : le jour où elle se présenterait, il comprendrait sur-le-champ que c'était elle. Et ce serait une grande victoire. Puis il se ravisa : il avait cinquante-trois ans, il l'avait attendue comme une gamine qui croit au prince charmant et il s'était bêtement consumé dans cette illusion. S'amouracher des mauvaises femmes n'avait fait que renforcer son désir de ne pas se tromper, raison pour laquelle il s'était montré de plus en plus rigoureux et insatisfait avec ses conquêtes. Parfois sa solitude le poussait dans de brèves et sordides liaisons qui suscitaient en lui l'envie d'être seul. Désormais, si son rêve persistait, ses espoirs s'étaient évaporés. Il se consola en pensant qu'il n'aurait pas su agir autrement, qu'il aurait commis les mêmes erreurs s'il avait eu une seconde chance, et une mélancolie héroïque s'enroula autour de sa tête comme un linge chaud... Bordelli, le chevalier solitaire, aimé de toutes les femmes...

Des coups à la porte l'arrachèrent à ces divagations, le remplissant de honte. Il était 21 h 30.

« Entrez ! »

Piras pénétra dans la pièce et s'immobilisa devant la table. « Du nouveau, monsieur ?

– Un élément. Mais ne reste donc pas debout, assieds-toi. »

Bordelli chassa de son esprit les derniers lambeaux de ses rêveries et, s'aidant d'un soupir, s'apprêta à satisfaire la curiosité du Sarde. « Ce n'est plus un jeu, Piras. Mme Pedretti a bien été assassinée, dit-il avant de raconter en détail sa conversation avec Diotivede.

– Intéressant. »

Il renonça à une cigarette et, ravi par tant de bonne volonté, se renversa sur sa chaise, faisant reculer le dossier à ressorts.

« Tu es libre, mercredi soir ?

– Je finis à 20 heures.

– J'organise un dîner chez moi, un petit repas entre amis. Ça te dit ? Je t'avertis que je suis le plus jeune de la bande.

– D'accord, monsieur ! J'apporterai des gâteaux de mon village.

– Des *papassinos*, je parie.

– Comment le savez-vous ? »

Bordelli sourit en repensant à un froid matin de 1944.

« Un jour, pendant des tirs de mortier, ton père m'a détaillé de A à Z la recette de ces gâteaux, j'ai gardé depuis lors envie d'y goûter. Mais j'ai une autre chose à te dire. J'ai convoqué demain à midi les neveux de Mme Pedretti. J'aimerais que tu sois présent. Tu t'installeras à la machine à écrire pour taper le procès-verbal et surtout tu essaieras de comprendre ce qu'ils ont dans la tête.

– Ça me convient. »

Après le départ de Piras, le commissaire s'abîma dans ses réflexions. Il abattit bientôt une main sur son front. « Rodrigo. » Il composa le numéro de son cousin, une fois encore sans réponse, et raccrocha en se jurant de faire un saut chez lui le lendemain. Cette histoire de joues hirsutes commençait vraiment à l'intriguer.

Vers minuit, il se mit à tomber des gouttes d'eau assez rares pour pouvoir les compter, mais aussi grosses que des œufs. Elles s'écrasaient dans la rue avec un bruit de gifles et s'évaporaient en l'espace de quelques secondes sur l'asphalte chaud. Au lit, un livre de Fenoglio[1] sur le ventre, Bordelli transpirait malgré son immobilité. Une mouche moribonde allait et venait dans la pièce, se heurtant aux murs à la recherche d'une issue, pendant que les moustiques se régalaient : l'appartement était sans doute le seul de la ville à ne pas sentir le DDT.

Incapable de lire, il s'abandonna à son habituelle mélancolie. Des rafales d'un vent tiède pénétraient maintenant dans la chambre par les fenêtres grandes ouvertes, accompagnées du grincement de vieilles bicyclettes, parfois de quelques voitures ou d'un train. Il entendit aussi passer Vito, dit « Piquette », un vieil alcoolique qui boitait et parlait tout seul. Au moment où il éteignait, l'homme s'arrêta et haussa le ton : « Toutes des putes... rien à faire... toutes des putes... » Puis il reprit son chemin en prononçant entre les dents des injures qu'il répéta au fond de la rue. Là, il abattit une main sur le rideau de fer d'une boutique, toussa sous l'effet de l'effort, cracha et repartit. Dans la pénombre, Bordelli se souvint d'un de ses semblables, un certain Villoresi, dont personne ne connaissait ni le prénom ni l'âge. Il avait un nez monstrueux pareil à une coulée de cire, les pores dilatés et rouges, des yeux clairs, idiots, qui semblaient avoir été soufflés de force dans sa tête, la bouche

---

1. Beppe Fenoglio, écrivain et traducteur italien (1922-1963), fortement marqué par son engagement dans la Résistance.

éternellement ouverte. Il se traînait en se tenant aux murs d'une main et avançait comme Vito à petits pas lourds, sans cesser de s'adresser tout haut à un être imaginaire en un dialogue presque toujours rageur, la tête penchée sur le côté. Il vomissait des insultes à l'adresse d'un ennemi invisible et le maudissait pour l'éternité. À son arrivée, les femmes changeaient de trottoir et s'efforçaient de détourner le regard. S'en apercevant, il s'exclamait alors :

« Sales putes ! Vous aimeriez ça, hein ? Sales putes que vous êtes... »

Comme il avait un timbre grave et rauque, plus il criait, plus sa voix s'étranglait et plus son visage rougissait. Les gamins, qui avaient peur de lui, jouaient à le provoquer pour ressentir un frisson. Ils se cachaient dans un coin et hurlaient « Bertolaniiiii ! », sorte de mot magique qui, pour d'obscures raisons, le mettait hors de lui. « Bertolani ! Bertolaniiii ! » Villoresi pivotait d'un bond et roulait les yeux pour foudroyer le coupable en lançant un chapelet d'injures contre le monde entier, « maudits cochons... fils de salopes et de putes... je vais tous vous enculer, un par un ». Les gosses filaient à toute allure, poursuivis par ces insultes. Mais tout le monde, dans le quartier, s'était un peu attaché à lui.

Bordelli chassa un moustique qui volait tout près de son oreille. Il faisait de plus en plus chaud et le bourdonnement de la mouche ne s'était pas interrompu une seconde. Il ferma les yeux et, avant de s'endormir, revit un bourg médiéval des Marches dont il avait oublié le nom. Pour permettre aux blindés alliés de passer, il avait fallu élargir les ruelles en taillant la pierre des maisons.

Rondouillard, de petits yeux tristes, des cheveux gras collés sur le crâne tel un coup de pinceau, Anselmo ne ressemblait guère au portrait que le commissaire s'était fait de lui. Bien qu'il fût trentenaire, il avait le souffle court et le visage huileux. Assis sur le bout des fesses, il croisait ses doigts moites, puis les essuyait sur son pantalon et ne cessait de glisser l'index dans le col de sa chemise, comme s'il étouffait. C'était de toute évidence un anxieux, un de ces individus qui tirent la chasse avant d'avoir même fini de pisser. Sa seule vue rendait nerveux, mais sa voix était étrangement plate et régulière, son costume élégant et sa cravate austère. Son frère Giulio était son portrait tout craché en plus jeune, avec beaucoup plus de cheveux et une cravate colorée.

Anselmo commença, un sourire froid aux lèvres : « Nous voici, commissaire. Pourquoi vouliez-vous nous voir ?

– J'ai juste quelques questions à vous poser, répondit Bordelli, après avoir jeté un regard à Piras, assis à la machine à écrire, de l'autre côté de la pièce.

– Je vous en prie.

– Monsieur Morozzi, où étiez-vous jeudi de 20 à 22 heures ? »

Anselmo tira un mouchoir pour sécher son menton, ruisselant de sueur.

« C'est-à-dire, commissaire ? Pourquoi me posez-vous cette question ?

– Je ne la pose pas qu'à vous. Je veux que votre frère me réponde, lui aussi.

– Jeudi ? » dit Giulio d'une voix de fausset en frottant les pieds sur le sol.

Anselmo lui coupa la parole : « Nous étions au bord de la mer.

– Où, précisément ?

– À Cinquale.

– Étiez-vous chez vous, ou êtes-vous sortis ?

– Nous avons dîné dehors, puis dansé toute la nuit dans une boîte sur la promenade du bord de mer. »

Giulio hocha la tête en guise de confirmation. Posant la main sur le bord du bureau, où il laissa un halo humide, Anselmo poursuivit, à bout de souffle :

« Si je peux me permettre, quel est le rapport avec... » Sans terminer sa phrase, il tourna vers le commissaire son gros visage luisant de sueur.

Bordelli, qui avait décidé de sauter les préliminaires, demanda à Giulio, également en nage : « Votre tante était très riche, vous le savez. Quand c'est le cas, on s'assure que le ou les héritiers n'ont pas forcé la main du destin.

– Le destin ? » Giulio semblait plus faible que son frère ; des deux, c'était certainement le plus obéissant : il dévisageait Anselmo avec admiration.

« Vous êtes héritiers directs, n'est-ce pas ? » interrogea Bordelli.

Les deux frères échangèrent un regard à la dérobée, puis gesticulèrent pour gagner du temps : Giulio se tourna un instant vers Piras, toujours impénétrable, tandis qu'Anselmo s'essuyait de nouveau le visage.

« Il y a aussi notre oncle, le frère de tante Rebecca.

– De toute façon, une belle part vous ira. Au moins la moitié, je crois.

– Ce n'est tout de même pas notre faute ! s'exclama Giulio.

– Non, mais en général c'est un bon mobile. »

Anselmo jeta un coup d'œil mauvais à son frère, puis hasarda un sourire afin de réparer sa bourde. « Notre tante... elle a succombé à une crise d'asthme, n'est-ce pas ? »

Bordelli se mit à tambouriner sur sa table. « Tu es prêt, Piras ?

– Prêt.

– Bien. Donnez-moi le nom du restaurant et de la boîte où vous êtes allés faire la noce, ainsi que les horaires précis de vos déplacements. »

Le cliquetis de la machine à écrire retentit.

Anselmo déglutit et se mit à trembler, apparemment vexé. « Qu'est-ce que ça signifie ? Pourquoi ces questions ? Sommes-nous suspectés ? Et de quoi ? Notre tante a succombé à une crise d'asthme, non ?

– Ce n'est pas encore clair. J'attends le résultat de quelques analyses. Si elles révèlent que votre tante est morte de causes naturelles, tant mieux pour tout le monde. Mais pour l'heure, nous avons des doutes.

– Des doutes ? Quels doutes ?

– Monsieur Morozzi, je n'ai pas dit que vous l'avez tuée, j'ai juste dit qu'il ne s'agit peut-être pas d'un accident.

– Dans ce cas, pourquoi toutes ces questions ?

– Oui, pourquoi ? répéta Giulio, encouragé par son frère.

– Ne vous inquiétez pas. C'est une formalité, une procédure inévitable, rien de plus. Je suis désolé. »

La machine à écrire s'était tue. Giulio leva le doigt pour réclamer la parole, comme à l'école. « Devons-nous appeler notre avocat ?

– Faites ce que vous voulez, je n'ai rien contre. Mais, je vous le répète, vous n'avez rien à craindre. Si je devais procéder à un véritable interrogatoire, je prendrais soin de vous séparer, ne croyez-vous pas ? »

Giulio se tourna vers son frère, comme pour lui confier la décision. Anselmo haussa les épaules.

« S'il s'agit seulement d'une formalité...

– Bien. En attendant, que diriez-vous d'une bière ? »

Les deux frères acquiescèrent avant d'échanger un regard surpris.

« Toi aussi, tu veux une bière, Piras ?

– Ça me convient. »

Bordelli appela alors sur une ligne intérieure : « Mugnai, peux-tu aller chercher quatre bières en bas ? Je passerai payer. »

Giulio tira un mouchoir froissé de sa poche et entreprit de s'essuyer le visage. Les deux doigts fourrés dans le col de sa chemise, Anselmo semblait redouter d'être étranglé par sa cravate. Bordelli s'en amusa. Il avait toujours jugé bizarre cet accessoire, une langue de tissu accrochée au cou qui échoue dans le potage quand on tend la main pour prendre le sel, un objet insensé. Il devait en avoir deux ou trois dans son placard, d'anciens cadeaux de femmes qui ne l'avaient pas compris et qui auraient aimé le faire changer. Il commençait à s'égarer dans ses souvenirs lorsqu'on frappa.

« Les bières, monsieur.

– Tu es aussi rapide que la foudre. »

Mugnai jeta un regard à la dérobée aux deux frères, puis repartit de sa démarche de phoque. Bordelli tira alors d'un tiroir des gobelets en papier, décapsula les bouteilles avec ses clefs et en offrit deux aux Morozzi. Piras vint chercher la sienne et regagna aussitôt sa place. Les quatre hommes avalèrent de longues gorgées. Giulio ferma même les yeux sous l'effet du soulagement.

« Bien. Et maintenant donnez-moi le nom du restaurant et de la boîte, reprit Bordelli.

– Le restaurant s'appelle Le Crocodile, déclara Anselmo. Nous avions réservé, vous pouvez vérifier.

– Je le ferai, ne vous inquiétez pas. »

Anselmo s'apprêtait à répliquer, piqué au vif, quand Giulio lui coupa la parole : « Nous sommes ensuite allés nous trémousser à La Mecque.

– À quelle heure êtes-vous arrivés au restaurant ?

– 20 h 30, n'est-ce pas, Giulio ?

– Oui, oui.

– Et à quelle heure en êtes-vous partis ?

– Environ 22 h 30... n'est-ce pas, Giulio ?

– Oui, oui, plus ou moins... 22 h 30.

– Êtes-vous allés danser tout de suite ? Ou avez-vous fait autre chose avant ?

– Oui, tout de suite.

– Jusqu'à quelle heure êtes-vous restés ?

– Nous avons été les derniers à sortir... n'est-ce pas, Giulio ?

– Oui, oui, les derniers. »

Bordelli se tourna vers le Sarde.

« C'est noté, Piras ?

– Oui, monsieur.

– Bien. À quelle heure ferme cette Mecque ?

– À 5 heures, n'est-ce pas, Giulio ?

– Oui, à 5 heures.

– Étiez-vous seuls ?

– En compagnie de nos épouses, commissaire. Mais au dancing, nous avons rencontré un ami, lui aussi avec sa femme. Des Milanais.

– Oui, oui, des Milanais, confirma Giulio avec des hochements de tête.

– Êtes-vous tous restés jusqu'à 5 heures ?

– Non, commissaire, les Milanais sont partis de bonne heure, vers minuit, je crois... ils ont un enfant en bas âge... n'est-ce pas, Giulio ?

– Un enfant en bas âge, oui. »

Le commissaire avait l'impression que les frères Morozzi allaient se prendre par la main.

« Vous n'avez pas d'enfants ? demanda-t-il.

– Pas encore... Pourquoi ?

– Simple curiosité. »

Il attendit que le cliquètement cesse pour continuer : « Comment s'appellent vos amis milanais ?

– Salvetti, répondit Anselmo après avoir pris sa respiration. Ils possèdent une usine de fermetures Éclair. Pendant l'été, ils occupent la villa voisine de la nôtre, à Cinquale.

– Quand avez-vous vu votre tante pour la dernière fois ?

– Il y a quinze jours, avant de partir au bord de la mer, dit Anselmo.

– Oui, oui, il y a quinze jours, deux semaines... environ », répéta Giulio.

Bordelli sentait monter en lui de l'hostilité envers les deux hommes. Mais il essayait de la ravaler : il savait que les assassins sont souvent sympathiques.

« Quelles étaient vos relations avec votre tante ? Répondez le premier, Giulio.

– Nos relations ? dit l'homme en sursautant, comme s'il s'était assis sur une épingle. Je dirais bonnes... plutôt bonnes. Hein, Anselmo ?

– Oui, oui... moi aussi, bonnes... Je dirais bonnes, plutôt. »

Bordelli observa une pause pour permettre à Piras de suivre et finit sa bière, désormais tiède.

« Et que me dites-vous de l'héritage ?

– Comment ça ?

– Il représente un tas d'argent. La villa à elle seule doit valoir de nombreux millions, non ?

– Qu'y pouvons-nous ? s'exclama Anselmo, les yeux traversés par un éclair de joie.

– Oui, renchérit Giulio, ce n'est tout de même pas notre faute.

– Quel est votre métier ?

– Nous travaillons dans l'immobilier, pourquoi ? répondit Anselmo, inquiet.

– Pourquoi vous énervez-vous ? Je dois juste l'indiquer sur le procès-verbal.

– Je ne suis pas énervé. Vous me voyez énervé ? Pourquoi devrais-je être énervé ?

– Quelle voiture possédez-vous ? coupa Bordelli.

– Quel est le rapport ?

– C'est juste pour bavarder.

– Une Fiat 600 Multipla, lâcha Anselmo.

– Moi aussi, confirma Giulio.

– Mais nous n'en prenons qu'une pour aller au bord de la mer. »

Le commissaire se prépara aux dernières questions en mordillant une cigarette éteinte.

« Et que pouvez-vous me dire de votre oncle Dante ? »

Les deux frères échangèrent un sourire stupide.

« L'oncle Dante ? Il est un peu bizarre, il a une araignée au plafond, pas vrai, Giulio ?

– Oui, oui, un peu bizarre, un peu beaucoup, fit l'autre avec un petit rire.

– Bizarre ? Comment ça ? répliqua Bordelli, le regard mauvais.

– Il passe ses journées dans une pièce immense à faire des mélanges et à fabriquer des engins qui ne servent à rien. »

Bordelli songea au visage large et tourmenté de Dante, et éprouva un sentiment de compréhension pour cet homme fantasque qui sautait du coq à l'âne. Leur conversation l'avait conduit dans un monde à part où l'imagination, le jeu et la liberté d'esprit régnaient en maîtres. Entendre ses neveux le traiter de fou l'agaçait.

« Monsieur Morozzi, quand avez-vous vu votre oncle Dante pour la dernière fois ?

– Il y a trois ou quatre mois, répondit Anselmo.

– Et vous ?

– Moi aussi. Nous rendons visite à notre oncle toujours ensemble.

– Piras, relis-nous le procès-verbal, s'il te plaît. »

Le Sarde acheva de presser les touches, tira la feuille de papier de la machine et se leva dans un grincement de chaise. Il rejoignit les frères Morozzi, lut d'une voix neutre questions et réponses, puis regagna sa place, après avoir remis le document au commissaire. Ce dernier le tendit aux deux frères et se laissa aller sur son dossier.

« Si cela vous semble exact, signez au bas de la page. »

Les Morozzi s'exécutèrent non sans hésitation, tachant la feuille de sueur.

« Bien, nous avons terminé. » Bordelli attendit que les traits d'Anselmo se fussent détendus pour ajouter : « ... Du moins pour le moment.

– Qu'est-ce que ça signifie ?

– Je regrette de troubler vos vacances, mais je dois hélas vous demander de ne pas quitter la ville jusqu'à la fin de l'enquête.

– Quelle enquête ?

– Piras, veux-tu lui répondre ? »

Le Sarde se leva et affirma avec un plaisir indéniable : « Les résultats de l'autopsie révèlent clairement que Mme Pedretti a été assassinée. »

Giulio s'agrippa au coude de son frère, la lèvre inférieure pendant comme une figue. Anselmo s'agita sur sa chaise et dit d'une voix rauque :

« Pardon, je n'ai pas bien compris... Vous avez dit tout à l'heure qu'on ne savait encore rien... ou plutôt que notre tante était certainement...

– Sale métier, que celui de policier... Nous sommes parfois obligés de mentir... avec de bonnes intentions, bien sûr.

– Voulez-vous dire que... nous sommes suspectés ?

– C'est exact.

– Ce n'est pas correct de votre part, commissaire. Pourquoi ne l'avez-vous pas dit plus tôt ? Ce n'est pas correct. Nous sommes des honnêtes gens. Nous travaillons

comme des esclaves toute l'année... et vous venez maintenant nous dire que... nous sommes suspectés ! C'est vraiment... inadmissible ! »

Entraîné par son propre courage, il s'apprêtait à abattre
la main sur le bureau quand il croisa le regard de son interlocuteur. Il chassa une goutte de sueur qui perlait sur sa
paupière et répéta sur un ton de fausset :

« Nous sommes des honnêtes gens...

– Nous devons juste vérifier vos alibis, rien de plus, intervint Piras. Puisque vous êtes innocents, vous n'avez aucune
crainte à avoir. »

Dans le silence qui s'ensuivit, on entendit un gargouillement. Giulio rougit en pressant une main sur son ventre.

« Vous pouvez repartir », dit Bordelli avec un sourire froid.

Anselmo desserra son nœud de cravate et bondit sur ses
pieds. Il remuait les lèvres comme un poisson, à la recherche
d'air. Il saisit Giulio par le bras et l'entraîna.

« Allons-y, dit-il, l'air profondément blessé.

– Piras, accompagne-les, s'il te plaît », lança le commissaire, qui alluma enfin la cigarette qu'il avait aux lèvres.

Les deux frères sortirent, escortés par le Sarde. Anselmo
marchait d'un pas lourd en traînant les pieds, précédant
Giulio qui haletait, les yeux fixés sur sa nuque. Dans la rue
les attendaient leurs femmes, deux blondes à talons hauts
et vêtements de plage, prêtes à regagner leur lieu de villégiature. Avec leurs grandes lunettes noires à la mode, elles
ressemblaient à de gigantesques insectes. Tous quatre
montèrent sans un mot à bord d'une Fiat 600 Multipla,
qui démarra avec un grincement traduisant toute la rage
d'Anselmo.

Piras regagna le bureau et agita une main pour éloigner la fumée qui s'élevait vers le plafond. Se passant les doigts sur les yeux, Bordelli lui demanda :

« Alors, Piras ? Que penses-tu des deux petits frères ?

– On ne peut pas dire qu'ils soient sympathiques.

– Demain, habille-toi en civil. On va à la mer. »

Il régnait dans la cuisine de Toto une température infernale. La fumée et le gras poissaient comme de la colle, mais la morue à la livournaise était sublime, et le vin blanc frais coulait dans la gorge sans effort. Les manches retroussées au-dessus des coudes, le commissaire écoutait Toto lui raconter une histoire truculente de son village tout en nettoyant des seiches dans l'évier. Il était intarissable.

« ... et le lendemain, avec le respect qui vous est dû, on l'a trouvé dans une grange, un poisson fourré dans le cul, un de ces poissons qui ont des épines sur le dos, ceux qui entrent bien mais qui sortent mal, vous voyez...

– Toto, tu n'aurais pas un peu plus de morue ?

– Bien sûr.

– Juste un petit bout. »

Toto alla cherchа le plat et remplit l'assiette du commissaire sans oublier la sauce. Bordelli n'essaya même pas de protester : il savait que c'était inutile. Toto se remit à peler les seiches et poursuivit son récit.

« Il a fallu toute la nuit pour le lui ôter. Je ne vous dis pas les hurlements. » Il décrivit l'opération dans ses moindres détails, puis embraya sur une autre histoire, celle d'un homme dont on avait coupé l'oreille.

« On l'a obligé à la manger toute crue. Entièrement. »

Bordelli avala sa dernière bouchée de morue.

« Tu ne connaîtrais pas une belle histoire d'amour, Toto ?

– Bien sûr, commissaire. »

Tout en débarrassant les seiches de leur os, il relata les aventures d'un certain Antonino, un pauvre type décidé à épouser la fille d'un riche propriétaire. Lorsqu'il était allé demander sa main, on lui avait ordonné de déguerpir et claqué la porte au nez. La nuit même, Antonino se faufila sur les terres du propriétaire et mit le feu au blé.

« J'étais enfant, mais je revois la scène comme si c'était hier. La fumée était visible à trente kilomètres à la ronde. Tous les habitants des villages voisins étaient venus assister au spectacle. À cause du vent marin, l'incendie se propageait comme un troupeau de chevaux, il n'y a pas eu un seul grain de sauvé. »

Bordelli n'attendit pas de connaître le destin du malheureux Antonino pour se lever. « Le devoir m'appelle, Toto.

– Vous ne voulez pas de café ?

– Je le prendrai au bureau.

– Revenez vite, commissaire.

– Où pourrais-je bien aller ailleurs ?

– Je dis ça pour vous. Dans les jours qui viennent, je préparerai de l'espadon à ma manière.

– Je ne raterai ça pour rien au monde. »

En quittant le restaurant, Bordelli se heurta à un mur de chaleur. Il était 14 h 30. L'air tremblait au-dessus de l'asphalte incandescent. Un grand chat jaune dormait, la gueule ouverte, sur la selle d'un Lambretta, lui aussi défait par la chaleur.

Avant de monter à bord de sa Coccinelle, le commissaire ouvrit toutes les vitres. Ramolli, le plastique des sièges diffusait une odeur douceâtre. Une Motobécane fila dans l'avenue, conduite par un homme en slip qui chantait. Bordelli l'envia de tout son cœur. Puis il rassembla son courage et démarra. Ouverts au maximum, les déflecteurs lui soufflèrent du vent chaud au visage. Le volant brûlait tant qu'il lui fallait le tenir d'un seul doigt. Ses oreilles bourdonnaient, comme chaque fois qu'il avait bu du vin blanc : il lui était impossible de rendre visite à Toto sans faire courir de risques à sa santé, mais il aimait manger et bavarder en observant le cuisinier le plus gras du monde, un mètre cinquante de joie villageoise. Il l'aurait volontiers inclus dans le foyer qu'il se plaisait à imaginer pour sa vieillesse : une ferme au milieu d'un vignoble, six ou sept amis de confiance, des promenades, des dîners interminables, une avalanche de souvenirs, de vieilles histoires à écouter et à raconter l'hiver devant la cheminée, ou l'été sous la tonnelle, tandis que les grillons vous transperçaient les tympans. Et de temps en temps, pourquoi pas, une partie de pétanque derrière le potager. Diotivede presque centenaire soignerait les animaux blessés, Botta et Toto seraient vissés à la cuisine, le psychanalyste Fabiani interviendrait dans les moments de dépression, et Rosa colorerait le tableau par sa naïveté. Bordelli leur adjoindrait volontiers Dante, le visionnaire : il les enchanterait avec des engins destinés à couper la mozzarella ou à éplucher les bananes.

Avant de retourner travailler, il décida de passer chez le vieux Gastone, à Borgo Tegolaio : il voulait lui faire entendre les détonations que produisait le tuyau d'échappement de la voiture et dire bonjour à Tenaglia, un gros garçon mal-chanceux qu'il lui avait confié pour le sauver de la prison. Tenaglia n'avait toujours eu qu'une envie : examiner les entrailles des moteurs pour trouver le mal dont ils souf-fraient, mais sa taille et ses antécédents avaient dissuadé jusque-là tous les garagistes de l'engager, raison pour laquelle il avait continué de voler des voitures destinées au marché de Naples. Le vieux Gastone, lui, s'était fié au com-missaire : il avait accepté le garçon et il s'en félicitait.

Bordelli se gara devant l'atelier de réparations. À l'inté-rieur, Tenaglia se battait avec une Simca 1005 et Gastone nettoyait une pièce à l'aide d'un chiffon. À sa vue, ils aban-donnèrent leur tâche et vinrent le saluer en tendant leur main couverte de cambouis.

« Alors, monsieur le commissaire, que faites-vous encore en ville alors que tout le monde se rôtit les fesses sur la plage ? interrogea Gaston.

– Et vous, alors ?

– Nous, nous sommes fous ! »

Une bouteille de porto et trois gobelets surgirent. Bordelli dut accepter, sous peine de les vexer. Tenaglia, qui transpirait comme une fontaine, avait l'air heureux. « Des problèmes avec votre blindé, monsieur le commissaire ? demanda-t-il.

– Le tuyau d'échappement n'arrête pas de péter, comme s'il digérait mal.

– Faites-moi écouter ça, les bruits sont mon fort.

– Je ne demande pas mieux.

– Montez, nous allons voir ça.

– Vas-y, toi, Tenaglia, intervint Gastone. Vous permettez ?

– Bien sûr », dit Bordelli, amusé par la pensée d'un voleur de voitures conduisant celle d'un policier.

Tenaglia alla se laver les mains pour éviter de salir le volant et monta à bord de la Coccinelle. Il recula le siège au maximum, ce qui n'empêcha pas que ses genoux se retrouvent à la hauteur de son nez, et partit à toute vitesse, comme s'il participait à une course. Les rues désertes et torrides renvoyèrent le vrombissement du moteur qui s'éloignait à plein régime. Alors qu'il rétrogradait, une explosion retentit, puis l'engin continua sa course vers le diagnostic.

Gastone saisit le commissaire par le coude et le conduisit dans ce qu'il appelait son bureau : deux mètres carrés de linoléum et une table basse couverte de bouts de papier incompréhensibles.

« Ne le dites pas au petit, monsieur le commissaire... Il n'a pas de famille, il n'a personne. Je suis déjà allé chez le notaire. Je lui lègue l'atelier.

– Tu désirais depuis toujours le transmettre à un connaisseur. »

Mais déjà la Coccinelle se rapprochait. Elle regagna sa base en vrombissant différemment, et le géant en descendit, un sourire aux lèvres. « C'est l'allumage, monsieur le commissaire. L'essence ne brûle pas entièrement dans le cylindre, elle éclate dans les tuyaux.

– C'est grave ?

– Il suffit de régler le carburateur, ça prend un instant. »

Tenaglia alla chercher un tournevis et releva le capot. Il ouvrit une petite boîte mystérieuse et y introduisit son instrument. Un instant plus tard, il dit :

« Démarrez, monsieur le commissaire. »

Bordelli s'exécuta, il accéléra une minute entière sous les ordres du géant, lequel referma le capot en déclarant :

« C'est arrangé. Ça ne recommencera plus, j'en mets ma main à couper. »

Bordelli éteignit le moteur et descendit.

« Merci.

– De rien.

– Gastone, combien je te dois ? »

Le propriétaire leva les mains. « Hors de question, commissaire. »

Bordelli s'approcha alors du géant et lui tendit un billet de mille lires, malgré ses protestations.

« Je ne veux rien.

– Allez, Tenaglia, tu m'as ôté une épine du pied.

– Mille lires, c'est trop.

– Ce ne sont pas mille lires, c'est une façon de dire merci. »

Bordelli pénétra dans son bureau, tira les volets et s'assit, bien décidé à relire le procès-verbal des Morozzi et à étudier l'affaire. Mais la chaleur était si forte qu'il envoya Mugnai chercher un café et deux bières. En attendant son retour, il s'abîma dans ses pensées. De nombreuses années plus tôt, il s'était demandé quand et comment on s'aperçoit qu'on devient vieux, et il croyait à présent le savoir : désormais, lorsqu'il songeait au passé, il éprouvait une grande mélancolie. Ses souvenirs n'étaient plus des images lointaines, fanées, un sillon d'événements sans conséquence, ils avaient pris un autre tour, à mi-chemin entre consolation et résignation.

Mugnai réapparut, sa chemise tachée de sueur. « Voilà, monsieur, le café et les bières.

« – Merci, pose-les là.

– Vous avez besoin d'autre chose ?

– Non, merci.

– Il y a une demi-heure, un type vous a téléphoné, monsieur. Un certain Dante.

– Qu'a-t-il dit ?

– Qu'il rappellerait plus tard.

– Bien. »

Mugnai parti, Bordelli alluma ce qu'il définit comme sa seconde cigarette de la journée. Mais il trichait peut-être. Il la fuma en pensant à la guerre : ces années-là demeuraient ancrées dans son esprit, aussi présentes et concrètes que ses mains. Un jour d'août 1944, il était allé patrouiller avec Piras père, un fusil-mitrailleur au cou et le doigt sur la détente. Les Allemands étaient postés tout près, de l'autre côté de la colline, dans de petits bourgs habités de vieillards terrifiés. Piras et lui cheminaient épaule contre épaule en balayant du regard la campagne inculte. Des mines avaient poussé à la place du blé, mais les fleurs sauvages se moquaient bien des combats, elles s'ouvraient partout, colorant les vallées. Dans une ferme abandonnée, ils avaient trouvé par hasard un jambon caché sous une couche de paille. Une sorte de vision. Ils en avaient mangé de fines tranches, découpées avec leur poignard, puis l'avaient remis à sa place. Ils étaient revenus le lendemain, munis d'un quignon de pain, avaient rampé dans l'herbe haute et s'étaient faufilés prudemment à l'intérieur du bâtiment. Ils avaient alors découvert que le jambon avait fait entre-temps d'autres heureux, sans doute une patrouille ennemie : il en manquait un beau morceau. Assis, le dos contre le mur, ils avaient savouré ce casse-croûte en pensant aux goûters de leurs mères.

La scène s'était répétée au cours des jours suivants : chaque camp avait dégusté du jambon à tour de rôle en un partage émouvant, mais au fond absurde.

Bordelli écrasa son mégot dans le cendrier, puis se leva avec un soupir. Il reprit sa voiture et se rendit à la morgue, le seul lieu de la ville épargné par la chaleur. L'odeur des désinfectants exceptée, c'était une sorte de paradis.

Le médecin préparait les lamelles en chantonnant, conduite plutôt insolite chez lui. Aussi Bordelli interrogea en le rejoignant, les mains dans les poches :

« Tu es content ?

– Pourquoi me poses-tu cette question ?

– Tu chantes.

– Je ne vois pas le rapport. Les esclaves chantaient, eux aussi.

– Eh bien, c'est la première fois que je t'entends chanter.

– De fait, je ne chantais pas. »

Comprenant que cet échange ne menait à rien, le commissaire changea de sujet.

« Le dîner est confirmé mercredi.

– Tu as parlé à ton ami de la soupe lombarde ?

– C'est une de ses spécialités. Il a sûrement passé des vacances à San Vittore.

– Et on dit qu'on n'apprend rien en prison...

– Cher Diotivede, c'est une question de caractère. Certains universitaires demeurent des ignares, alors que des détenus se font une culture. »

Le médecin installa ses lamelles et entama son voyage magique entre les microorganismes en mouvement. Il se remit à gémir comme avant. Ce devait être un air d'opéra, se dit Bordelli. « *Carmen* ?

– Le *Barbier*.

– Tu chantes donc...

– Tu es libre de penser ce que tu veux. »

Penché sur son microscope, Diotivede avait l'immobilité des statues, et de fait c'est ainsi que Bordelli l'aurait représenté, s'il avait dû ériger un monument à son honneur. Soudain le médecin se détourna du microscope et s'approcha d'une civière. Il souleva le drap, dénudant un corps trapu au ventre enflé, celui d'un quinquagénaire à la peau grise, dont les lèvres sèches et noirâtres étaient bordées de salive coagulée. Les mains gantées, Diotivede tâtait maintenant le ventre, à la recherche de l'endroit adéquat pour inciser.

« Tu vas l'ouvrir ? demanda Bordelli.

– Je suis en retard. J'aurais dû terminer ce matin.

– Pourquoi ne réclames-tu pas un assistant ?

– Je l'ai fait. Le ministère a répondu qu'il enverra un autre médecin quand je crèverai.

– Très aimable.

– C'est peut-être mieux. Ils seraient capables de m'envoyer on ne sait qui.

– Quelle confiance... »

Le médecin s'interrompit et lança, sérieux : « Quand je mourrai, fais en sorte que personne ne m'ouvre le ventre, d'accord ?

– Je mourrai peut-être le premier.

– Ne dis pas n'importe quoi. Tu leur interdiras de m'ouvrir ? Je veux une réponse.

– Je ferai tout ce qui est en mon pouvoir.

– Je n'ai pas envie qu'un gamin s'exerce en tailladant mes restes. Jure que tu l'interdiras.

– Dans certaines circonstances...

– Jure-le.

– Tu sais bien que ça dépend des circonstances de la mort.

– Je m'en fous complètement. Jure.

– Et si je n'y arrive pas ?

– Jure. De toute façon, je ne l'apprendrai jamais.

– Je le jure », dit Bordelli avec un soupir.

Apparemment satisfait, Diotivede retourna à son cadavre. Il enfonça la pointe du bistouri dans l'orifice supérieur de l'estomac, ce qui provoqua un claquement, suivi d'un violent souffle. Un gaz nauséabond s'échappa, et l'estomac s'aplatit. Le bistouri continua lentement son chemin, sans que l'entaille délivre la moindre goutte de sang. Diotivede posa alors sa lame et élargit l'ouverture à l'aide de ses mains.

« Qui est-ce ? interrogea Bordelli.

– Un pauvre type, trouvé mort dans la rue.

– Meurtre ?

– Ça ressemble à un infarctus.

– Je déteste ce mot.

– Si tu préfères, je peux dire crise cardiaque.

– Tu es un véritable ami.

– Peux-tu me passer la cuvette, s'il te plaît ? » demanda Diotivede, les mains serrées sur le foie qu'il venait d'extraire.

Le moment était venu pour Bordelli de se rendre chez Rodrigo. Tout en roulant, il se tortura l'esprit : pourquoi y allait-il ? Pour qui ? Pour sa tante ? Pour son cousin ? Ou pour lui-même ? Et dans ce cas, pour éviter de se sentir coupable envers la première ? Par devoir moral ? Ou seulement par curiosité ? Une chose était certaine : l'aigreur de Rodrigo, digne d'une vieille fille, l'amusait beaucoup. Tout compte fait, tel était peut-être le motif de sa visite.

Il se gara à deux pâtés de maisons et termina le trajet à pied. Devant l'immeuble, une construction chargée d'ornements et plutôt laide, il leva les yeux vers le quatrième étage et s'aperçut que les volets de l'appartement de son cousin étaient fermés. Il sonna plusieurs fois en vain, puis laissa le doigt pressé sur le bouton jusqu'à ce que le déclic tant attendu se produise. Il gravit alors l'escalier et frappa à la porte.

Une voix retentit derrière : « Bordel, qui est là ? »

C'était étrange : Rodrigo ne s'exprimait jamais de la sorte.

« Rodrigo, c'est toi ?

– Non, c'est le grand méchant loup.

– Tu m'ouvres ?

– Qu'est-ce que tu veux ?

– Bavarder un moment.

– Je n'en ai pas la moindre envie.

– Bon, je m'en vais. Mais je t'avertis : je reviendrai demain, après-demain et... »

La porte s'ouvrit sur un Rodrigo en caleçon, aux joues couvertes d'une barbe de quelques jours.

« Salut. Je te vois enfin aussi sale et abruti que les êtres humains, déclara Bordelli, sincèrement satisfait.

– Qu'est-ce que tu veux ?

– Puis-je entrer ?

– Qu'est-ce que tu veux ?

– Et si on buvait un verre ?

– Je déteste qu'on réponde aux questions par d'autres questions.

– Dans ce cas, laisse-moi entrer.

– C'est maman qui t'envoie, n'est-ce pas ?

– Je ne l'ai pas vue depuis un mois. Et puis pourquoi devrait-elle m'envoyer ?

– Tu es un menteur.

– Je suis un policier. »

Avec un soupir d'agacement, Rodrigo s'écarta et ouvrit tout grand la porte.

« Entre. »

L'appartement était sale et sentait le renfermé. Dans l'entrée, d'étranges tessons gisaient contre la plinthe, et il y avait en haut du mur une grande tache poisseuse. Le téléphone était débranché. Bordelli suivit son cousin en contemplant ses jambes nues : il était en bonne forme pour un homme de cinquante et un ans, on ne lui voyait ni graisse ni peau tombante.

Une fois dans le bureau, Rodrigo ouvrit la fenêtre et se planta devant. Les yeux rivés sur les quelques voitures qui circulaient, il intima : « Trouve-toi une place. »

Ce qui était autrefois un bureau ressemblait à présent à un poulailler. Bordelli ôta sa chemise et la jeta avec joie sur une chaise. Cette situation l'enchantait, il avait l'impression de retrouver un camarade tombé entre les mains des Allemands. Il s'assit dans le fauteuil après avoir ôté un plateau couvert de restes. Le canapé disparaissait sous un monceau de vêtements sales.

« Un sacré désordre... », dit-il.

Rodrigo gémit, puis ferma la fenêtre et quitta la pièce. Il revint un peu plus tard, vêtu d'un pantalon et muni d'un verre.

« Qu'est-ce que tu bois ? interrogea le commissaire.

– Je ne sais pas. Tu en veux ?

– Merci, juste une goutte. »

Rodrigo s'éclipsa de nouveau. À son retour, il laissa tomber une bouteille sur les jambes de Bordelli.

« Trouve-toi un verre. »

Bordelli examina l'étiquette. C'était du triple sec, une liqueur douceâtre qui enivre les enfants. Il alla chercher un verre à la cuisine, puis demanda : « Dis-moi une chose, Rodrigo. Te souviens-tu de ma dernière visite ?

– Oui, ça se peut... c'était il y a des années... tu m'as vraiment cassé les couilles.

– Non, pas des années. Un mois tout au plus.

– Un mois ? Oui, c'est possible... Je t'ai jeté dehors, me semble-t-il...

– Bon, Rodrigo, dis-moi ce qui se passe.

– Qu'est-ce que ça signifie, bordel ?

– Ça signifie que, si tu as envie de parler, je suis prêt à t'écouter. »

Rodrigo libéra le canapé en jetant tout ce qui l'encombrait sur le sol et s'y allongea. « Parler de quoi ?

– Regarde donc autour de toi. Par quel mystère un homme méticuleux et propre jusqu'à l'obsession peut-il transformer son appartement en une magnifique porcherie ? Ne te méprends pas, je suis admiratif.

– Chez moi, je fais ce que je veux.

– Une bonne réponse. Je n'attendais rien de mieux de la part d'un enfant.

– Pourquoi ne me laissez-vous pas tranquille ? »

Bordelli but une gorgée de liqueur et ravala son dégoût.

« Ne sois pas méfiant.

– Quel est le rapport ?

– Si tu craches la couleuvre, je te garantis que personne n'en saura rien.

– Tu parles comme un flic.

– J'apprécie ton bon mot, mais juste parce que je ne t'en croyais pas capable. »

Rodrigo avala une gorgée et son visage se ratatina comme un poing, à croire qu'il avait mal à l'estomac. Puis il éclata de rire et, sous l'effet des hoquets, glissa au sol, renversant le contenu de son verre sur lui, ce qui fit redoubler ses rires. Il en pleurait et en étouffait presque.

Pour la première fois, Bordelli éprouva un élan de sympathie pour son cousin. Le voir se tordre de rire sur le sol lui plaisait : quoi qu'il lui fût arrivé, pensa-t-il, cela l'avait libéré. Il se pouvait qu'il souffre terriblement, mais au moins il était enfin capable de se laisser aller. Il espérait que cela ne prendrait pas fin trop tôt.

Il avala le fond de son verre et tira de sa poche une cigarette. Il aurait pu résister, mais il voulait voir la réaction que son geste entraînerait. En général, Rodrigo écarquillait les yeux et lui ordonnait d'éteindre immédiatement « cette cochonnerie ». Comment réagirait sa nouvelle version ? Il alluma donc la cigarette et souffla une belle bouffée de fumée en l'air. Son cousin lui demanda alors, songeur :

« Tu ne m'en donnerais pas une ?

– Je te la jette ?

– Je viens. » Il avança à quatre pattes jusqu'au paquet et tendit cinq ongles sales, puis se pencha avec tant de précipitation sur l'allumette que Bordelli lui offrait qu'il se brûla un sourcil, ce à quoi il n'accorda pas d'importance. Après la première bouffée, il toussa une bonne minute, crachant de la fumée. « Bordel, comment peux-tu... fumer ce... truc ? demanda-t-il d'une voix rauque, les yeux rouges.

– C'est une histoire de femme, hein ? »

Rodrigo tira trois fois sur sa cigarette avant de répondre :

« Il ne s'agit pas d'une femme, mais d'un monstre. »

Le commissaire décida de ne pas insister pour l'instant. « Que fais-tu pour les vacances ?

– Qu'est-ce que les vacances viennent faire là-dedans ?

– Tu ne prends pas de repos ?

– Du repos ?

– Non, laisse tomber. »

Rodrigo éteignit son mégot sur le sol et reprit dans un murmure : « Un monstre...

– Veux-tu venir dîner chez moi mercredi ? Nous serons quatre ou cinq.

– Donne-moi une autre cigarette. »

Bordelli la lui lança, tout comme la boîte d'allumettes.

« Qu'est-ce que tu fais de tes journées, Rodrigo ?

– Je regarde la télé. Tu as vu Celentano avant-hier soir ?

– Elle t'a plaqué ? »

Rodrigo alluma la cigarette et déchira une feuille de journal, il la froissa et tenta d'atteindre un vase de l'autre côté de la pièce.

« Il aurait mieux valu que je ne la rencontre pas », dit-il entre ses dents. Il réitéra son geste. Cette fois la boule de papier rebondit sur le col et alla rouler au loin. Sous l'effet de l'alcool, il se remit à rire. Les larmes aux yeux, il se contorsionnait tant et si bien qu'il brûla le canapé avec sa cigarette. Enfin il se rembrunit.

« Je l'aime... cette sorcière.

– Qu'est-ce que tu dis ?

– J'ai dit que je l'aime. Elle est sublime.

– Et elle ? Elle a perdu la tête, elle aussi ?

– Je crois. C'est ce qui me fait peur.

– Peur ? »

Rodrigo se redressa. « Tu veux vraiment savoir pourquoi je reste enfermé depuis deux semaines ?

– Bien sûr.

– Chaque fois que je sors, je me précipite chez elle et nous faisons l'amour pendant deux jours d'affilée. Tu as compris ?

– C'est tout ? Et dire que je m'inquiétais !

– Tu fais bien.

– Il y a pire dans la vie.

– Tu ne te rends pas compte ? La joie, le bonheur... c'est horrible !

– Le bonheur ne dure pas longtemps, rassure-toi.

– Eh bien, moi, j'en ai une trouille folle. Tu penses que c'est facile... du jour au lendemain ?

« – Explique-toi mieux.

– J'ai peur, je suis effrayé, je pénètre dans un monde inconnu et je ne peux pas m'en empêcher. Tu saisis ?

– Oui, oui, très bien. Mais de quel monde parles-tu ?

– Je suis capable de passer des heures à la regarder droit dans les yeux. Quand je la serre contre moi, je me fiche de la mort... Ça te paraît normal ?

– Les trucs habituels des amoureux.

– Bien sûr, mais c'est à moi que ça arrive, et ça change tout.

– Moi, je trouve ça formidable.

– J'ai l'impression d'être entraîné par un fleuve en crue, je ne sais plus ce que je ressens...

– Rien d'anormal.

– Pas pour moi. J'ai essayé de réfléchir, de comprendre ce qui m'arrivait.

– Et tu as compris ?

– Une seule chose : le mur que j'avais construit autour de moi, brique après brique, s'est effondré aussi facilement que la maison des trois petits cochons. Il n'en reste plus rien.

– Magnifique !

– Qu'est-ce que ça a de magnifique, bordel ? Je suis en train de te dire que j'en fais dans mon froc.

– Lance-toi, Rodrigo. Je dis ça pour toi. Tu as plus de cinquante ans, et la vie est aussi courte qu'une pisse de rat. Tu auras toujours le temps d'envoyer tout ça au diable.

– Mais pourquoi moi ?

– Si j'étais à ta place, je me jetterais tête baissée dans ce fleuve en crue et je m'y noierais volontiers. Après, on verra. »

Dépité, Rodrigo tirait comme un forcené sur son mégot éteint. Bordelli songea que le moment de partir était venu : son cousin n'avait pas besoin de lui pour réfléchir ni pour se gifler. Rodrigo lui lança : « Tu t'en vas ?

– Il se fait tard.

– Je ne te raccompagne pas.

– Peu importe, dit le commissaire en enfilant sa chemise.

– Peux-tu me rendre un service en sortant ?

– Je t'écoute.

– Peux-tu rebrancher le téléphone ?

– Si tu y tiens vraiment. »

Bordelli s'exécuta. Il n'avait pas encore mis le pied sur la troisième marche quand il entendit retentir la sonnerie. Il rebroussa chemin et colla l'oreille contre la porte. Sept sonneries se succédèrent avant que s'élève la voix de Rodrigo :

« Bonjour, Beatrice... Non, rien de grave, ne pleure pas... Je t'expliquerai... »

À 21 heures, Bordelli se gara devant le portail de Dante, descendit de voiture et contempla un moment la campagne. Le soleil brillait au-dessus de l'horizon et une brise fraîche soufflait sur son visage comme une caresse. La perspective de passer un peu de temps en compagnie de l'inventeur le réjouissait. Il s'engagea dans l'allée. Une famille de chats était allongée sur le rebord d'une fontaine vide. Cette maison noyée dans la végétation sauvage lui plaisait. Elle avait l'air paisible. Tout en marchant, il sentait des épis de brome se planter dans le bas de son pantalon et lui piquer les chevilles. Le vrombissement soporifique d'un avion de ligne brisait le silence. L'envie de s'allonger dans l'herbe haute et de s'y endormir s'empara de lui.

La porte de la villa était grande ouverte. Bordelli, qui connaissait maintenant le chemin, gravit l'escalier et rejoignit la vaste salle où Dante s'entretenait avec les rats. Il le trouva debout, au milieu de la pièce, vêtu de son habituelle blouse blanche ouverte sur le ventre, enveloppé dans la fumée de son cigare et plongé dans ses pensées. L'inventeur agita la main en guise de salut.

« Vous m'avez téléphoné ? commença Bordelli.

– C'est possible. »

Dante fit tomber la cendre de son cigare sur le sol, alla chercher sa bouteille de grappa et remplit deux petits verres. Après en avoir offert un à son invité, il tira une photo de sa poche et dit avec gravité : « Vous l'avez vue morte, je tenais à vous la montrer vivante. »

C'était un portrait de Rebecca jeune fille. Très belle, elle souriait, une mèche de cheveux dans la bouche. « Elle faisait toujours ça.

– Quoi ?

– Elle glissait toujours une mèche de cheveux dans sa bouche.

– Ma mère aussi.

– Vous arrive-t-il de penser à la mort, commissaire ?

– Oui, le soir, avant de m'endormir.

– Que pensez-vous précisément ? »

Bordelli avala une gorgée de grappa et sentit la fatigue de la journée s'abattre sur ses épaules. « Ce ne sont que de vagues pensées.

– J'y pense souvent, moi aussi, et ça ne me plaît guère. La mort est inacceptable, horriblement inacceptable... à moins qu'on ne soit une âme immortelle, une éternelle conscience de soi.

– Je suis d'accord.

– Et la résurrection de la chair ? Qu'en pensez-vous ? »

S'il n'avait pas fait si chaud, Bordelli aurait peut-être essayé d'y réfléchir. Il regarda l'inventeur se promener en silence parmi ses décombres géniaux en mâchant son cigare, puis revenir vers lui.

« Les grands thèmes, commissaire... ce sont les grands thèmes qui rendent fou. La mort, la conscience, la vie... Pensez à la vie : un spermatozoïde se jette, tête baissée, dans un ovule, déclenchant sur-le-champ un projet à long terme. Les cellules prolifèrent de façon vertigineuse, elles se diversifient, s'agrègent. De cette première particule infinitésimale se développera un cœur qui bat, des mains, des ongles, des poils, des glandes et un cerveau capable de penser à lui-même... Tout est déjà écrit, depuis la position du foie jusqu'à la composition des cartilages. Mais de temps en temps, la nature se trompe, elle dote une main de six doigts ou raccourcit une jambe par rapport à l'autre, ou encore elle construit un cerveau incapable de saisir les choses les plus simples... Et tout ça pourquoi ? Une banale erreur ? Ou existe-t-il plutôt un dessein ? Et pourquoi s'obstine-t-on à s'interroger alors qu'on est incapable de trouver une réponse ? Encore un verre, commissaire ? »

Il était inutile de répondre : Dante attrapa la bouteille et l'inclina une nouvelle fois sur les deux verres. Il vida le sien, puis laissa aller son menton contre sa poitrine.

« Toujours les mêmes questions : pourquoi Dieu permet-il le mal ? L'histoire est-elle l'œuvre de l'homme ou possède-t-elle une force autonome ? Et le temps ? Qu'est-ce que le temps ?

– Avant que j'oublie, voulez-vous venir dîner chez moi mercredi ? »

Bordelli et Piras partirent le matin de bonne heure pour échapper à la grosse chaleur, vitres baissées. En manches de chemise, le commissaire conduisait d'une main et savourait la caresse de l'air sur sa peau. L'odeur écœurante de la grappa de Dante s'était ancrée dans ses narines. Il ne s'était pas rasé, et il passait de temps en temps la main sur son visage rêche. Il se demanda où se trouvait Rodrigo à l'heure qu'il était. Peut-être arpentait-il son appartement, tout nu, en déclamant des vers de Byron à sa maîtresse, également nue, au milieu de la fumée, tous deux ivres et repus d'amour. Voilà que ce cousin lui paraissait de moins en moins antipathique.

En civil, Piras avait l'air d'un étudiant pauvre. Bordelli se tourna vers lui et haussa le ton pour couvrir le grondement allemand. « Tu as des cousins, Piras ?

– Des douzaines.

– Tu t'entends avec eux ?

– Je ne les connais même pas. »

Ils gardèrent le silence un moment, hypnotisés par le bruit du moteur, un vrombissement sourd mêlé d'une sorte de sifflement. Puis Piras reprit :

« Ne comptez-vous pas interroger ces Morozzi ? Je veux dire les interroger vraiment.

– Bien sûr, mais pas tout de suite. Je voudrais d'abord disposer de quelques atouts. »

Piras opina et posa le coude à l'extérieur, tandis que le commissaire, bloquant le volant à l'aide de ses genoux, allumait la première cigarette de la journée. Il souffla la première bouffée sans l'aspirer car elle avait un goût de soufre.

« Et toi, qu'en penses-tu, Piras ? Tu as trouvé la solution de ma devinette ?

– En théorie, oui. Mais les faits m'échappent.

– Explique-toi.

– C'est mathématique. Vous m'avez donné un problème à résoudre, une équation avec une inconnue. Sur le papier, tout est facile, mais quand on essaie d'appliquer la théorie à la pratique, c'est une autre histoire.

– Je t'écoute.

– Laissez-moi réfléchir encore un peu. Tôt ou tard, je trouverai. »

Bordelli songea que Piras n'avait rien expliqué, mais il n'insista pas.

Le soleil brillait haut dans le ciel quand ils atteignirent la côte. La chaleur y était beaucoup plus supportable qu'en ville. Le commissaire gara la voiture le long de la promenade du bord de mer.

« Qu'est-ce qu'on fait, monsieur ?

– Je n'ai pas vu la mer depuis une éternité, Piras. »

La plage de Marina di Massa était couverte de vacanciers. De vacanciers trop nombreux. L'enfilade interminable des chaises longues prenait fin à quelques pas de l'eau. Ce mouvement incessant de corps à demi nus sur le sable avait quelque chose d'agaçant. Sous le croassement des radios, on entendait les pleurnichements d'enfants jouant au bord de l'eau. En se déplaçant entre les parasols, le commissaire essaya d'imaginer une plage déserte, où il s'allongerait nu après s'être baigné et, les yeux clos, la tête vide de toute pensée, écouterait le ressac et le cri des mouettes.

Il s'immobilisa et attendit Piras, resté en arrière pour se déchausser. Le Sarde avançait maintenant vers lui sur le sable brûlant, ses souliers noirs et bien cirés accrochés à ses doigts. Son visage osseux étincelait au soleil comme une casserole en cuivre. Accélérant le pas, il le rejoignit.

« Ôtez donc vos chaussures, monsieur, c'est plus facile pour marcher.

– Pas la peine, nous ne nous attarderons pas. »

Arrivé près de l'eau, Bordelli poussa un soupir mélancolique. Sa tête s'était remplie de souvenirs. Il se revoyait, enfant, jouant avec le sable humide sous la surveillance de son père, tandis que sa mère disputait une partie de cartes en bavardant avec ses amies, il revoyait ses vieilles tantes de Mantoue, assises côte à côte, chaussées, leur sac sur les genoux, il revoyait les vendeurs de noix de coco qui déambulaient d'un pas leste en soulevant le sable de leurs talons. C'était il y avait bien longtemps : à l'époque, les maillots couvraient le corps des femmes du cou jusqu'aux genoux.

Le serveur du Crocodile se souvenait bien des Morozzi : ils étaient arrivés à 20 h 30 et étaient repartis deux heures plus tard.

« De braves gens », ajouta-t-il avec un air pénétré qui trahissait de généreux pourboires. Piras avait tiré de sa poche un carnet sur lequel il notait tout.

Il était près de midi, et il y avait beaucoup de mouvement dans la cuisine. La salle, en revanche, était encore vide. Le serveur répondait aux questions sans cesser de s'activer, s'étirant au-dessus des tables et mettant le couvert avec une lenteur exaspérante. Petit, un peu bossu, le visage vide en dépit d'un trop grand nez, il aurait pu figurer dans les bandes dessinées de Bonaventura[1]. Le commissaire et Piras le suivaient, avec l'impression de le déranger.

« Les Morozzi sont-ils des habitués ? interrogea le premier.

– Oui, ils viennent souvent depuis de nombreuses années. »

Plus loin, une gamine aux genoux couverts de bleus étendait les dernières nappes, dont elle lissait les plis du plat de la main.

Bordelli promena le regard sur les poissons factices qui ornaient le mur et dit : « Bref, vous êtes certain qu'ils sont partis à 22 h 30.

– Sûr et certain, monsieur le commissaire. Mais que leur est-il arrivé ? Des ennuis ? »

C'est alors que surgit d'une porte la patronne, une grosse femme à la frange blonde bien fournie.

« Gigi ! Ce n'est pas encore fini ?

– J'en ai pour une minute. Ces messieurs sont de la police. »

Après un instant d'effroi, la femme adressa aux deux hommes un sourire forcé, débordant de rouge à lèvres. « Puis-je vous offrir à boire ?

---

1. Bonaventura est un personnage de bandes dessinées créé par Sergio Tofano en 1917. Ses aventures furent publiées en Italie jusqu'en 1953.

– Non, merci. Nous repartons tout de suite. »

La femme leva la main pour les inviter à attendre et alla se poster sur le seuil de la cuisine. « Gisella, apporte deux vermouths, et que ça saute !

– Ne vous dérangez pas, nous repartons, répliqua Bordelli, agacé par ce sourire hypocrite.

– Mais non, juste un petit verre... Il est arrivé quelque chose ?

– J'avais juste quelques questions à poser à ce monsieur, mais c'est déjà fait. »

Soulagée, la patronne croisa les doigts et laissa échapper un petit rire. Puis, voyant Gisella se présenter, les verres à la main, elle la renvoya avec dureté chercher un plateau à la cuisine et dit : « Ces gamines sont un désastre !

– Il n'y avait pas de mal », répliqua Piras en lui lançant un regard torve.

Gisella revint, le visage cramoisi, les yeux baissés sous sa frange noire, et tendit son plateau aux policiers. Bordelli aurait préféré refuser : son estomac n'était pas prêt à accueillir un vermouth, mais cette jeune fille honteuse l'attendrit et il saisit le verre le moins plein, tandis que Piras l'imitait en adressant un grand sourire à Gisella, qui se sauva au pas de course. Décidé à repartir au plus vite, il avala l'alcool d'un trait, déclenchant dans son estomac une vague d'acidité. Le visage luisant de sueur, la patronne souriait.

« Un autre petit vermouth ?

– Nous devons repartir, merci. »

Bordelli attrapa le Sarde par le bras et l'entraîna vers la sortie. À l'extérieur, il posa une main sur son estomac et commenta : « Du poison à l'état pur.

– Vous parlez de la femme ou du vin ?

– Des deux, Piras, des deux. »

Ils garèrent la Coccinelle sous un grand palmier de la promenade du bord de mer. Laissant Piras manger son sandwich, le commissaire alla frapper à une porte surmontée d'une enseigne verte : *La Mecque – Dancing.* Comme personne n'ouvrait, il retraversa l'avenue et regagna la voiture. Il mordit dans la moitié de sandwich qui lui restait et prononça entre ses dents des mots que le Sarde ne comprit pas.

« Qu'avez-vous dit, monsieur ?

– J'ai bien peur que nous devions nous attarder jusqu'à ce soir. »

Mais l'agent, maintenant tourné vers le dancing, déclara : « Peut-être pas. » En effet, une tête blonde et ébouriffée surgissait de la porte. Elle appartenait à une jeune fille, vêtue d'un peignoir de bain trop grand, qui s'étirait au soleil en bâillant. Bordelli remballa son sandwich et se précipita vers elle.

« Excusez-moi, mademoiselle, je suis le commissaire Bordelli. Si vous me le permettez, je souhaiterais vous poser quelques questions. »

La fille lui lança un regard de travers, tandis qu'une ride se dessinait sur son front large.

« Vous travaillez ici ? insista-t-il.

– Pourquoi ? » Elle avait un accent du Nord, des yeux fiers et intelligents, ainsi qu'un air têtu qui la rendait encore plus belle. Les ongles de ses pieds nus, bronzés et fins, étaient peints en rouge vif. Elle plia un genou, qui s'échappa ainsi du peignoir.

« Puis-je vous demander votre nom ?

– Elvira.

– Vous travaillez ici ?

– Je suis serveuse, mais juste l'été. L'hiver, je fais mes études.

– Étiez-vous ici jeudi soir ?

– Je suis là tous les jours. Pourquoi me posez-vous ces questions ?

– Connaîtriez-vous par hasard les frères Morozzi ? »

Elvira secoua la tête. Une mèche blonde glissa sur son visage. « Je ne connais personne. »

Bordelli n'avait pas d'autres questions à poser, mais il restait planté là, comme fasciné : Elvira lui semblait à chaque seconde plus belle. Il n'avait pas éprouvé pareil sentiment depuis longtemps. Puis il se dit qu'il pourrait être son père et fut envahi par la gêne.

La fille éclata de rire. « Qu'est-ce que vous avez, monsieur le flic ? Vous avez perdu votre langue ?

– Non, mais...

– Vous n'allez pas me retenir toute la journée sur le pas de la porte ? Si vous voulez me soutirer des informations, entrez. J'ai envie d'un café.

– Certainement. »

Il se tourna vers Piras, qu'il invita à attendre, et franchit le seuil derrière la jeune fille. L'entrée était revêtue de miroirs qui lui renvoyèrent une image impitoyable de lui, à côté d'une telle beauté. Venait ensuite une grande salle, éclairée par une lumière rouge pendue au plafond, au centre de laquelle s'étendait une piste circulaire bordée de canapés. La fille la traversa en produisant avec ses pieds un bruit de gifle et écarta un rideau de velours épais, qu'elle tint ouvert pour Bordelli. Un couloir étroit menait à une petite pièce en désordre, moitié chambre, moitié cuisine, puisque s'y trouvaient un lit défait et un réchaud à gaz. Le carrelage bleu pâle était recouvert d'un léger voile de sable ; en hauteur, une fenêtre entrouverte donnait sur une mer aveuglante. Une chaise disparaissait sous un monceau de vêtements au sommet duquel se détachait une culotte blanche, que la fille se hâta de fourrer dans sa poche.

« Asseyez-vous où vous voulez. »

Bordelli se laissa aller sur le seul meuble vide, une vieille chaise en bois, qui oscilla sous son poids. Un rai de lumière chargé de poussière en mouvement filtrait à travers une fente du plafond.

Elvira entreprit de préparer du café. « Vous en voulez, vous aussi ?

– Oui, merci. »

Profitant de ce qu'elle avait le dos tourné, Bordelli contempla avec admiration ses jambes et ses petits pieds nerveux.

Enfin, elle pivota. « Je suis tout à vous, monsieur le flic. Que voulez-vous ?

– Quelques renseignements. »

Elle alla s'asseoir sur le lit et releva ses genoux pour y poser les bras. Dans ce mouvement, le peignoir lui dénuda les jambes, ce qui ne sembla pas la gêner.

« Vous regardez dessous ? lança-t-elle.

– Non... excusez-moi. Vous êtes très jolie, Elvira.

– Laissez tomber les compliments, ils me donnent la nausée. Je n'ai eu que ça, dans la vie.

– Je suis désolé. »

Le silence s'abattit sur la pièce. La fille se mit à gratter une petite croûte de sang sur sa cheville jusqu'à ce qu'elle se détache, tandis que Bordelli, en nage, ne savait où poser le regard. Le gargouillement du café fut un soulagement. Elvira se leva, ramassa deux tasses dans l'évier, qu'elle rinça rapidement. Écartant d'un souffle une mèche qui lui tombait sur le visage, elle demanda : « Du sucre ?

– Un, merci.

– Alors, vous ne voulez vraiment pas me dire ce que vous cherchez ? »

La tasse avait l'anse cassée, et Bordelli se brûla les doigts. Mais elle valait toujours mieux que celles de Dante. Face aux yeux verts, remplis d'ironie, que la jeune fille braquait sur lui, il se sentait maladroit et regrettait d'être entré.

« J'enquête sur un assassinat.

– Qui a été tué ?

– Une dame très riche.

– Dans ce cas, ce n'est pas ma mère. »

Avec un sourire amer, Elvira retourna s'asseoir et croisa les jambes comme les fakirs. Bordelli posa sa tasse par terre et tira de sa poche son paquet de cigarettes. Il en proposa une à la fille, qui lui fit signe de la lui lancer. Mais il préféra se lever, lui tendre le paquet et gratter une allumette. Penché sur elle, il sentit l'odeur du soufre brûlé se mêler à un parfum de shampoing et de crème solaire. Elvira sourit, découvrant de petites dents parfaites.

« On dirait que vos mains ont la tremblote, monsieur le flic. »

Gêné, Bordelli recula, manquant de renverser sa tasse. Il tituba et s'appuya contre le mur pour éviter de tomber, puis il récupéra la tasse, en but le contenu et alla la déposer dans l'évier. Il était si confus qu'il s'interrogea même sur sa présence en ces lieux, dont il avait maintenant la sensation d'être prisonnier. Debout dans la pièce, il ne savait que dire, et ce silence lui pesait. Jamais il n'avait éprouvé autant d'embarras.

Elvira abandonna elle aussi sa tasse et se renversa sur le lit sans malice. Elle croisa les pieds et se mit à traquer dans sa chevelure les pointes fourchues.

« Qu'est-ce que La Mecque vient faire avec la dame assassinée ?

– Comment ? Ah oui, bien sûr... Il est encore trop tôt pour le dire. J'ai juste quelques points à vérifier. »

Bordelli décrivit avec précision les frères Morozzi, ce qui lui permit de retrouver son calme. La jeune fille lui tendit son mégot et dit :

« Vous pouvez le jeter ? » Et comme il cherchait en vain un cendrier du regard, elle lui indiqua l'évier. Puis elle se tourna sur le côté et, une joue contre la paume de la main, ajouta : « Oui, je me souviens d'eux. Ils ont été odieux. Ils étaient accompagnés de deux blondes aux airs de pute.

– Odieux, comment ça ?

– Ils avaient beaucoup bu et ils voulaient rigoler. L'un d'eux m'a mis la main aux fesses. Berk ! Et les deux dindes n'arrêtaient pas de rire.

– Pouvez-vous me dire à quelle heure ils sont arrivés et quand ils sont repartis ?

– Ils sont repartis à la fermeture. Je m'en souviens parce qu'ils étaient ivres morts, ils avaient du mal à tenir debout. Mais ne me demandez pas à quelle heure ils sont arrivés. Vous ne savez pas le bordel qu'il y a ici.

– Y a-t-il un détail que vous pourriez vous rappeler à leur sujet ?

– Je ne crois pas. Trop de bordel, je vous l'ai dit. Ici, c'est l'enfer à partir de 21 heures.

– Je comprends. »

Elvira écarta les bras et, les yeux fermés, se cambra avec un plaisir évident. Puis elle se redressa et lança : « Nous avons terminé ? Je n'ai pas que ça à faire. »

Bordelli sentit son cœur se serrer. Il s'en rendait compte maintenant : il avait espéré lui plaire ne serait-ce qu'un peu, lire dans ses yeux le regret de la séparation. Espèce de vieux couillon, pensa-t-il. « Oui, nous avons fini.

– Ça ne va pas ? demanda la jeune fille, surprise par son sourire forcé.

– Euh... c'est mon ulcère...

– Je vous raccompagne. »

Elvira s'immobilisa une seconde pour se regarder dans un petit miroir accroché à un clou. Elle lança à son reflet une expression qui signifiait : ce que tu es moche ! Puis elle se dirigea vers la sortie.

Sur le seuil, elle lui tendit une main toute chaude.

« Adieu !

– Merci, Elvira. Au revoir.

– Je ne crois pas que nous nous reverrons. Salut, monsieur le flic. »

Elle referma la porte. Bordelli l'écouta s'éloigner en fredonnant une chanson de Celentano, et retraversa l'avenue d'un pas lent. Les trottoirs étaient encombrés de mères et de poussettes. Dans la Coccinelle, Piras dormait, torse nu. Il se réveilla en sursaut en entendant la portière claquer et renfila sa chemise.

« Alors, monsieur, comment ça s'est passé ?

– Comment s'est passé quoi ? »

Le commissaire inspira, et l'odeur de la mer le ramena violemment à un lointain passé. Il revit la maison de Marina di Massa où ses tantes de Mantoue prenaient leurs vacances, un pavillon art nouveau de pierre grise tachée de mousse sèche, une sorte de château miniature piqué dans un jardin magique, ombreux, planté d'immenses pins et d'arbustes sombres. Un bassin d'eau vaseuse, où nageaient des poissons rouges, se détachait sur une terre brune, et une table en travertin reposait sous une tonnelle de passiflore, lieu de conversation des adultes. Bordelli revit le grand escalier de marbre, le boudoir à vitraux, l'escalier de fonte en colimaçon qui montait vers une pièce dans laquelle il n'avait pas le droit de pénétrer. Il était autorisé, en revanche, à manger des chocolats, toujours vieux et moisis, ou des biscuits confectionnés par la femme de chambre. Et à jouer avec le chat, à condition de ne pas lui faire de mal.

Après le repas venait l'inévitable supplice : la sieste. Alors que le soleil fendait les pierres et que des centaines de lézards ne demandaient qu'à être pourchassés, il était obligé de se coucher entre ses parents. Il passait un moment à réfléchir ou à suivre les silhouettes floues et colorées que le soleil projetait sur le plafond à travers les volets clos mais, dès que son père se mettait à ronfler, sautait à bas du lit avec la complicité de sa mère. En bas, la maison était toute à lui, silencieuse et remplie d'ombres. Il s'allongeait sur le ventre et se glissait sous les meubles pour échapper aux monstres qui voulaient lui dévorer les pieds.

Vers 16 heures, il entendait du bruit à l'étage. À la fois déçu et content, il sortait de sous le bahut et s'asseyait sur le grand canapé rouge, l'esprit déjà tourné vers la mer, les jeux, les plongeons, les cris de sa mère : « Ça suffit maintenant, sors de là ! » Après le dernier bain, il mangeait une *focaccia* chaude en frissonnant dans son peignoir. Un immense soleil rouge s'enfonçait dans la mer, tandis qu'une infinité de pensées lui encombraient la tête, le plongeant dans un silence grave.

Ses tantes parlaient tout bas du « petit », un enfant mélancolique, extrêmement mélancolique, à leur dire, elles lui souriaient plus que le nécessaire, le cajolaient et lui offraient des cadeaux. Pauvres tantes, elles étaient mortes depuis longtemps... Il les revoyait assises côte à côte sur le sable, dans leurs tenues de ville agrémentées de broches en or et de colliers. Elles contemplaient la mer en prononçant des commentaires inutiles ou en discutant de projets pour leur immense propriété d'Argelato. Tante Cecilia possédait une tête minuscule et un visage d'oiseau de nuit. Tante Vittorina portait une résille et s'appuyait sur une canne au pommeau argenté. Tante Ilda, aussi blanche et transparente qu'un fantôme, avait de grands yeux sereins et profonds. Enfin, tante Costanza, petite et ronde, à l'air éternellement gai et à la voix rauque, dégageait une odeur douceâtre et aimait embrasser tout le monde. Autrefois amie intime du futur Duce, elle était aussi un célèbre médium que les esprits des défunts choisissaient pour revenir quelques instants parmi les vivants. C'étaient des images d'un passé d'autant plus lointain qu'il y avait entre cette époque et le présent une distance aussi importante qu'entre une calèche et une Lancia Flaminia.

Hypnotisé par ces souvenirs, Bordelli en oubliait de manger sa glace, qui fondait et coulait le long de son verre. Le cri d'un enfant l'arracha à son rêve éveillé et le ramena au bar, bondé de clients en maillot de bain, où il se trouvait. Piras, qui l'observait avec curiosité, lui demanda :

« Ça va, monsieur ?

– Excuse-moi, Piras. Je suis distrait.

– Je disais qu'il est déjà 14 heures. »

Bordelli passa les mains sur sa figure dans la tentative de chasser ses souvenirs. Il repoussa la coupe de glace et alluma une cigarette. « Bon, il semblerait que les Morozzi aient dit la vérité. Qu'en penses-tu ? Va-t-on tout de même interroger les Salvetti ?

– Pourquoi pas ?

– Alors allons-y tout de suite, dit-il en tirant son portefeuille de sa poche. On les coincera avant qu'ils aillent à la plage. » Tandis qu'il se levait, il fut saisi par un léger vertige et vit se profiler dans son esprit l'image d'Elvira aussi nette qu'un cliché.

« Monsieur Salvetti ?

– C'est moi. Qui êtes-vous ?

– Commissaire Bordelli. Et voici Piras. Pouvons-nous vous poser quelques questions ?

– À quel sujet ?

– Cela ne vous prendra qu'une minute. Pouvons-nous entrer ? »

À en juger par ses cheveux ébouriffés et son air agacé, Salvetti sortait à peine de sa sieste. Il portait un maillot de bain et une chemise aux manches retroussées. Sa fine moustache noire lui découpait le visage en deux parties égales. Il ouvrit le portail. « Ça vous dérange de faire ça dans le jardin ? Ma femme dort.

– Comme vous voulez. »

Ils traversèrent une grande pelouse fraîchement tondue jusqu'à une tonnelle de chèvrefeuille, à une cinquantaine de mètres de là, sous laquelle se trouvaient des fauteuils en fer agrémentés de coussins bariolés. Il n'y avait pas un souffle d'air, mais le toit de feuilles rendait l'endroit fort agréable. Salvetti s'appuya sur les accoudoirs de son siège et croisa les mains devant son nez avec une expression d'ennui, qui suscita chez Piras une irritation manifeste.

Bien décidé à détendre l'atmosphère pour poser ses questions, Bordelli se tourna vers la villa et hocha la tête en signe d'admiration. « Vous avez là une bien belle maison, félicitations. »

Aussitôt, le visage du Milanais s'éclaira. « Mon grand-père l'a achetée en 1912 pour trois fois rien. C'est une villa célèbre, vous savez. Elle figure en couverture de plusieurs livres. Pensez donc, D'Annunzio y a dormi. »

C'était en effet une construction originale, à la fois légère et solide, toute en marbre et en briques, flanquée d'une tourelle à fenêtres géminées. Salvetti la contemplait maintenant avec joie et satisfaction. Piras lui-même semblait plus calme. L'interrogatoire pouvait donc commencer.

« Vous connaissez les frères Morozzi, n'est-ce pas ?

– Oui, ils habitent à côté, répondit Salvetti en indiquant une maison moderne derrière la haie.

– Nous le savons.

– Qu'est-ce que ces gros lourdauds ont fait ? interrogea l'homme, amusé.

– Nous avons juste quelques points à vérifier. Êtes-vous très liés ?

– Comment vous dire ? Nous nous connaissons depuis l'enfance, mais nous ne nous voyons que l'été. Nous ne sommes pas vraiment des amis... Vous comprenez ?

– Bien sûr. Quand les avez-vous vus pour la dernière fois ?

– Hier matin. Ils sont partis de bonne heure après nous avoir salués dans le jardin. Je pensais qu'ils allaient faire un tour dans le coin, mais ils n'ont pas réapparu. Commissaire, ils ne sont tout de même pas... » De la main, il traça une croix dans l'air.

« Absolument pas. Où étiez-vous jeudi soir à 23 heures, monsieur Salvetti ?

– Jeudi ? Je suis allé avec mon épouse au dancing. Les Morozzi nous ont rejoints avec leurs femmes.

– Quel dancing ?

– La Mecque, sur la promenade du bord de mer. Vous ne voulez pas me dire ce qui est arrivé ?

– Je ne peux pas pour le moment. À quelle heure avez-vous quitté La Mecque ?

– À environ minuit.

– Pourquoi si tôt ?

– Quand nous allons danser, nous laissons notre petit chez des voisins qui ont eux aussi un enfant de dix ans. À minuit, nous passons le reprendre.

– Et les Morozzi ?

– Comment ça ?

– Sont-ils partis avec vous à minuit ?

– Non, ils sont restés.

– Vous rappelez-vous à quelle heure ils sont arrivés ?

– Vers 23 heures, plus ou moins. »

Tout correspondait, et Bordelli commençait à s'ennuyer. Il échangea un regard complice avec Piras. La version des frères Morozzi avait été confirmée point par point. Il fallait tout recommencer du début. Les deux neveux n'avaient rien à voir dans l'affaire. Le mobile n'était peut-être pas l'héritage. Une seule chose était certaine : il s'agissait d'un meurtre. Et pourtant, quelque chose lui échappait, telle une mouche bourdonnant dans sa tête. Il était fatigué, très fatigué, et il lui tardait que la nuit vienne pour pouvoir se coucher et dormir.

« Vous avez besoin d'autre chose ? lança Salvetti, l'arrachant à ses pensées.

– Non, j'ai terminé. Merci, monsieur Salvetti. Excusez-nous du dérangement. »

Il s'apprêtait à se lever quand Piras lui demanda l'autorisation de poser à son tour une question au roi de la fermeture Éclair. Il acquiesça.

« À La Mecque, avez-vous rencontré les Morozzi par hasard, ou aviez-vous rendez-vous ?

– Ni l'un ni l'autre. Ma femme et moi allons y danser tous les jeudis. Les Morozzi le savent, ils sont donc venus nous y retrouver. » Le Milanais consulta sa montre et voulut savoir s'ils en avaient vraiment fini.

Pour toute réponse, Bordelli bondit sur ses pieds, aussitôt imité par Piras. C'est alors qu'une voix féminine très aiguë retentit dans la villa : « Artemiooo ! Avec qui es-tuuuuu ? »

Une femme en robe de chambre était penchée à une fenêtre, au premier étage. Salvetti agita la main vers elle et haussa le ton pour être entendu : « Chériiiiiie... je t'expliquerai plus taaaaard. » Puis, plus bas, à l'adresse du commissaire : « C'est ma femme.

– Qu'est-ce que tu diiiiis ?

– Plus taaaaard... Je t'expliquerai plus taaaaard.

– Giacomo est avec toiiii ?

– Noooon. Il est encore chez les Consalvoooo.

– Quoiiii ?

– Chez les Consalvoooo. »

Bordelli glissa une cigarette entre ses lèvres et se jura de ne la fumer que sur le chemin du retour. « Giacomo est votre fils ?

– Oui. Il va jouer tous les jours après le déjeuner chez son ami Matteo, dont je vous ai parlé. Il devrait déjà être de retour. Nous n'allons pas tarder à aller à la plage. »

La femme de Salvetti avait disparu de la fenêtre, elle réapparaissait maintenant sur la pelouse. Elle portait une petite robe transparente couverte de papillons géants qui lui dénudait les épaules. Elle avançait d'un pas étudié, plantant ses talons fins dans l'herbe avec la désinvolture de l'habitude. De loin, elle paraissait plutôt belle, bien en chair et toute en boucles vaporeuses. Arrivée à destination, elle s'exclama, à la vue de la table vide :

« Artemio ! Tu n'as rien offert à boire à ces messieurs ?

– Pardon, je n'y ai pas pensé. »

Pour plaisanter, elle voulut assener une tape sur la nuque de son mari, mais elle calcula mal sa force, et la tape se transforma en coup. « Ce que tu peux être mal élevé ! s'exclama-t-elle, indifférente à la blessure d'orgueil qu'elle lui avait infligée. N'est-ce pas, monsieur... »

Le commissaire serra la main qu'elle lui tendait avec la sensation de la poisser pour l'éternité. « Commissaire Bordelli, enchanté.

– Piras, dit le Sarde.

– Il est arrivé quelque chose à Giacomo ? »

Son mari lui entoura la taille de son bras velu. « Mais non, chérie, ne t'inquiète pas. Ces messieurs avaient juste quelques questions à me poser, je t'expliquerai plus tard.

– Oh ! mon Dieu, comme j'ai eu peur ! » dit-elle en portant une main à son cœur.

Elle était belle, en effet. Un peu trop maquillée pour le goût de Bordelli, mais belle. Elle retrouva bien vite le sourire et demanda aux policiers ce qu'ils avaient envie de boire.

« Ne vous dérangez pas, madame. Nous repartons tout de suite.

– Du sirop d'orgeat ? De la menthe ?

– Voyons, Giovanna, ne vois-tu pas que ces messieurs sont pressés ?

– Ne fais pas l'ours, Artemio ! Alors, commissaire, qu'est-ce que je vous apporte ? »

Bordelli regarda Piras et se mordit les lèvres. « Du sirop d'orgeat, c'est très bien.

– Et ce beau jeune homme, que prend-il ?

– Pour moi aussi, merci. »

Giovanna demanda qu'on l'excuse et s'éloigna en ondoyant sur ses jolies mules. Les trois hommes se rassirent sans bien savoir que dire. Piras feignit de s'arranger les cheveux tout en reluquant la maîtresse de maison, ce dont Salvetti s'aperçut. Furieux, il croisa les jambes et se mit à en balancer une nerveusement, comme s'il essayait d'accélérer le temps. « J'aimerais aller un peu sur la plage avant que la nuit tombe », dit-il.

Agacé par la tension qui renaissait entre le Milanais et le Sarde, Bordelli se leva une nouvelle fois. « Monsieur Salvetti, nous partons. Saluez votre épouse de notre part. » L'homme bondit sur ses pieds, ravi d'en finir, mais Giovanna ressurgit au loin, munie d'un plateau rempli de verres et de bouteilles. Il se rassit, résigné. C'est alors qu'on entendit claquer le portail. Deux garçonnets apparurent, montés sur des vélos. Ils foncèrent vers la tonnelle, devant laquelle ils freinèrent brusquement.

« Papa, papa, on peut aller au garage ?

– Avant tout, dites bonjour à ces messieurs.

– Bonjour... On peut y aller maintenant ?

– D'accord, mais soyez prudents. »

Les deux gamins firent pivoter leurs bicyclettes et s'éloignèrent en pédalant à toute allure. Arrivée entre-temps, Giovanna versa le sirop d'orgeat et expliqua à Bordelli avec un sourire :

« Ils vont jouer avec la voiture... Chéri, tu as ôté les clefs, n'est-ce pas ?

– Quelle question ! »

Giovanna servit les trois hommes, se remplit un verre de menthe et s'assit, le visage au soleil, soucieuse de ne pas gaspiller un seul rayon. Elle déclara qu'elle aimait la mer depuis l'enfance. « Croyez-moi, commissaire, ici j'ai plus d'appétit, je digère mieux, je dors mieux, je respire mieux, bref, tout me réussit mieux, vraiment tout, n'est-ce pas, Artemio ? » Elle serra les genoux et émit un petit rire qui acheva d'irriter son mari.

« Voyons, Giovanna...

– Qu'est-ce que j'ai dit ? » Elle rit de façon encore plus malicieuse en cachant son visage derrière le verre de menthe.

Bordelli, qui brûlait de retrouver sa liberté, avala d'un trait le contenu de son verre et ordonna du regard au Sarde de l'imiter. Piras s'exécuta sans cesser de lorgner les jambes de Giovanna, ses mules bordées d'or et ses épaules pelées par le soleil, au grand dam de Salvetti, furibond.

Giovanna continuait de dire qu'elle adorait le sable chaud, qu'elle aimait se rôtir au soleil, en particulier après avoir gagné le large en bateau : cela lui permettait d'ôter tous ses vêtements, de bronzer totalement nue. Bordelli l'imagina dans le plus simple appareil, couverte de crème solaire de la tête aux pieds. Mais il pensa au même moment à tous les pauvres gens qui se démenaient pour avoir quelque chose à se mettre sous la dent et qui ne connaissaient certainement pas l'existence de pareilles crèmes. Il poussa un soupir et se leva.

« Il faut vraiment que nous partions. Merci pour tout. »

Salvetti ne se le fit pas dire deux fois. Il bondit sur ses pieds comme un ressort, tandis que son épouse adressait aux policiers un sourire panoramique et leur tendait la main en susurrant : « Alors, à bientôt, monsieur le commissaire. Au revoir, jeune homme. »

Après l'avoir aimablement saluée, Piras et Bordelli emboîtèrent le pas à leur hôte et s'efforcèrent de ne pas se laisser distancer, tant il marchait vite. Devant le portail, les poignées de mains furent rapides. Les policiers s'apprêtaient à tourner les talons quand le petit Giacomo surgit du garage en s'écriant du ton fier de ceux qui annoncent de mauvaises nouvelles :

« Papa, papa, la voiture est éraflée ! »

Salvetti pivota, les yeux écarquillés, et perdit l'équilibre. Il serait tombé si Piras ne l'avait pas retenu par le bras. « Comment ça, éraflée ? » D'un geste brusque, il se libéra de la prise du Sarde et s'élança.

« C'est pas nous, c'est pas nous ! Elle était déjà comme ça ! », hurla Giacomo avant de réintégrer le garage en toute hâte.

Au fond du jardin, Giovanna agitait un bras pour saluer une dernière fois les policiers sans comprendre pourquoi ils s'attardaient devant le portail. Bordelli hésitait à partir ou à attendre Salvetti, qui se ruait dans le garage. Il s'appuya contre le pilier et consulta sa montre. Un filet de sueur coulait le long de son dos. Décidément, l'après-midi était interminable.

Enfin, le maître de maison refit son apparition, l'air très irrité. « Bordel, ça ne se fait pas ! Une éraflure à deux cent mille lires, ils auraient pu au moins m'en parler, non ? »

Le commissaire réitéra son intention de partir. Mais Piras fixait Salvetti qui les rejoignait en gesticulant et en parlant tout seul, hors de lui.

« Ça ne se fait pas ! Bon sang de bonsoir ! Ils auraient pu me le dire, bordel ! Ça ne se fait pas !

– De qui parlez-vous ? interrogea le Sarde.

– Quels cons !

– De qui parlez-vous ?

– De qui ? Mais de ces satanés Morozzi, bon sang de bonsoir ! »

Bordelli revint sur ses pas. « Les Morozzi ?

– Je ne la leur prêterai plus, je le jure sur Dieu !

– Excusez-moi, quand la leur avez-vous prêtée ?

– Pardon ?

– Votre voiture... quand l'avez-vous prêtée aux Morozzi ?

– Qu'est-ce que j'en sais ! Ils voulaient faire une excursion en montagne, ces andouilles ! Ayez confiance en vos amis... une éraflure à deux cent mille lires ! Crétins ! Vous savez combien coûte une voiture de ce genre ? »

Piras montra le garage d'où s'échappaient encore les cris des deux gamins qui jouaient aux conducteurs et demanda : « Puis-je la voir ? »

Mais Salvetti l'ignora. Se dirigeant vers sa femme, il plaça les mains autour de sa bouche et hurla : « Giovannaaaa, les Morozzi ont éraflé la voituuure !

– Quoiiii ?

– La voituuure ! Elle est érafléééée ! Les Morozziii !

– Je sais, ils l'ont lavééée ! Ils ont été gentiiils !

– Qu'est-ce que tu diiiis ?

– J'ai dit gentiiils !

– Éraaaafléééée.»

Giovanna fit un geste de la main pour signifier qu'elle ne comprenait rien. Entre-temps Piras était allé jeter un œil dans le garage, d'où il revenait à présent.

«Monsieur Salvetti, quand exactement avez-vous prêté votre voiture aux Morozzi?

– Quoi? Quel est le rapport?

– Je vous en prie, intervint Bordelli, essayez de vous rappeler. Ça pourrait être très important.

– Ah oui? Ils voulaient faire une excursion en montagne, vendredi dernier, je crois.

– Vous la leur avez prêtée vendredi matin? interrogea Piras.

– Oui... ou plutôt non. Je la leur ai confiée jeudi après-midi. C'est cet imbécile de Giulio qui est venu la chercher.

– Jeudi? En êtes-vous bien certain? Réfléchissez.

– Mais oui, oui, jeudi... En général nous allons de bonne heure à la plage, et comme les deux crétins comptaient partir vers 10 heures, je la leur ai confiée la veille. En voilà, des manières! Ça vous érafle la voiture et ça ne vous dit rien. Les andouilles!

– Une belle éraflure, monsieur, précisa Piras. Contre un arbre, me semble-t-il.»

Désormais incontrôlable, Salvetti tapait du pied par terre et multipliait les jurons.

«Au lieu de la laver, ils auraient mieux fait de ne pas l'érafler, non? Quels ploucs!

– Ah! ils l'ont lavée? demanda Bordelli du ton le moins irritant qu'il trouva.

– Oui, lavée! Pour me remercier du service, bordel!»

151

Sans réponse des deux policiers, Giovanna abandonna sa chaise et se rapprocha, de sa démarche de mannequin. L'attention de Piras ne lui avait pas échappé, aussi s'efforça-t-elle de jouer l'indifférence, mais son attitude était si forcée que Salvetti leva les yeux au ciel et soupira.

Bordelli, qui n'en pouvait vraiment plus, coupa court à l'entretien : « Au revoir, monsieur Salvetti, merci de tout. » Il saisit Piras par le bras et l'entraîna. Une fois à bord de la Coccinelle, il demanda :

« Alors ?

– C'est une très belle femme.

– À part ça ?

– La voiture est une Giulietta Sprint, monsieur, elle fait du cent quatre-vingts kilomètres à l'heure, ou presque. »

Bordelli voulait retourner voir la mer. Il chercha la plage la moins bondée et alla s'asseoir avec Piras sur une barque renversée.

Un baigneur très bronzé somnolait sur une chaise longue, à l'ombre d'un énorme parasol, une bière glissée dans le sable jusqu'au goulot à portée de main, non loin d'un paquet de cigarettes posé sur un journal froissé.

Un vent agréable soufflait sur les vêtements. Bordelli chassa de son esprit l'image d'Elvira et observa le visage osseux de Piras, dont les yeux noirs, voilés d'une nostalgie ancestrale, étaient braqués sur l'horizon.

« À quoi penses-tu, Piras ?

– À rien.

– On dit qu'il est impossible de ne penser à rien », répliqua le commissaire, ravi par le spectacle que le soleil offrait en s'enfonçant lentement dans l'eau.

Au lieu de répondre, le Sarde referma les doigts sur une poignée de sable qu'il laissa couler de son poing. Bordelli repensa à Piras père... parfois, épaule contre épaule, allongés par terre, ils contemplaient le ciel noir, percé de trous lumineux, sans prononcer un mot, tandis que leurs camarades jouaient aux cartes ou écrivaient des lettres qui n'atteindraient peut-être jamais leurs destinataires.

« Si on rentrait, Piras ?

– C'est à vous de décider, monsieur.

– Bon, alors rentrons. Il faut que je parle à Diotivede.

– Voulez-vous que je conduise ?

– Pourquoi pas ? »

Bordelli somnola pendant tout le trajet, les mains abandonnées entre les jambes, la tête se balançant sur le dossier de la Coccinelle.

« Je ferme un peu les yeux, mais je ne dors pas, dit-il.

– Faites comme vous voulez.

– Je suis juste un peu fatigué. »

Quand Piras coupa le moteur, dans la cour du commissariat, il ouvrit les paupières et les referma aussitôt sous l'effet de la brûlure. Il se redressa avec un gémissement et secoua la tête, comme pour faire glisser le sommeil de son visage.

Piras attendit patiemment qu'il fût totalement réveillé.

« Voulez-vous que je vous accompagne chez vous, monsieur ?

– Non, merci. J'y arriverai. Je veux d'abord faire un saut à la morgue. Tu viens ?

– D'accord.

– C'est moi qui conduis : ça me réveillera.

– Comme vous voulez. »

Ils descendirent tous deux pour échanger leurs places. Bordelli titubait et son dos douloureux lui tirait des gémissements. Il ne cessa de bâiller pendant le trajet, au cours duquel il brûla un feu rouge et monta sur un trottoir. Une fois à la morgue, il se jeta sur l'unique chaise et annonça : « Voici Piras. Il sera des nôtres mercredi. »

Diotivede adressa un salut au jeune homme, puis scruta le visage de Bordelli en ôtant ses gants.

« Tu ne crois pas que tu ferais mieux de te coucher ?

– J'irai ensuite. Mon cher Diotivede, ne te vexe pas si je te pose une question que je t'ai déjà posée. Je le fais uniquement par scrupule.

– Je t'en prie.

– Es-tu certain que Mme Pedretti est morte à 21 heures ? Cela n'aurait pas pu arriver plus tard ? Ou beaucoup plus tôt ? » Il se passa une main sur le visage, tandis que le médecin jetait un coup d'œil à Piras et avançait, aussi raide qu'un tronc.

« Je ne me vexe pas, mais si j'étais incapable d'établir l'heure d'un décès, je n'exercerais pas ce métier.

– *Errare humanum est*, non ?

– La science n'est pas humaine. Si tu m'avais confié un cadavre abandonné depuis un mois ou un an... eh bien, j'aurais eu du mal à déterminer l'heure et le jour de la mort. Mais dans ce cas... il existe des phases précises, prouvées par les recherches. Se tromper est impossible.

– Bon, je jure que je n'y reviendrai plus. J'espérais juste pouvoir avancer un peu, et me revoici à zéro. Tant pis. »

Piras semblait sur le point de prendre la parole, mais il garda le silence. Le commissaire se leva en portant une main à son dos et adressa un signe d'au revoir à Diotivede.

«À mercredi.

– Salut», répondit le médecin sans un regard.

Bordelli tint à reprendre le volant, et Piras ne protesta pas. Une fois au commissariat, Bordelli salua sommairement les policiers de service et, Piras sur ses pas, alla s'asseoir à sa table. Les doigts pressés sur ses paupières, il déclara :

« Piras, je suis fatigué et je n'ai pas envie de parler. Mais j'aimerais bien t'entendre. Est-ce que tu y as compris quelque chose, à notre affaire ?

– Êtes-vous sûr de ne pas vouloir attendre ?

– Sûr et certain.

– Vous me jurez que vous irez ensuite vous coucher ?

– Je le jure. »

Le Sarde demanda l'autorisation de marcher, qui lui fut accordée d'un hochement de la tête. Alors qu'il s'immobilisait dans le coin le plus éloigné, le téléphone se mit à sonner. La tante Camilla réclamait des nouvelles de Rodrigo.

« Comment l'as-tu trouvé ? Il va bien ? interrogea-t-elle avec anxiété.

– Très bien, il est juste un peu secoué par...

– Oh ! mon Dieu ! Que lui est-il arrivé ?

– Rien de grave... ou peut-être si. Il est amoureux comme un gosse.

– Le pauvre chéri, il n'y est pas habitué ! Il ne doit pas être bien.

– Dors sur tes deux oreilles, tantine. Rodrigo est juste un peu troublé. »

La femme raccrocha et Bordelli se tourna à nouveau vers Piras. « Je suis prêt.

– Est-ce que cela vous ennuie si je commence du début ?

– Vas-y. »

Piras reprit sa marche à pas brefs et lents. Il jeta un coup d'œil au portrait du président de la République, accroché derrière Bordelli, puis ferma son poing et dressa le pouce.

« Un, Mme Pedretti a succombé à une crise d'asthme. » Il leva l'index. « Deux, seul le pollen de maté pouvait la tuer de cette façon. » Il brandit le majeur. « Trois, le maté ne pousse pas dans notre pays. Nous savons qu'un individu a tué Mme Pedretti en déclenchant une crise mortelle avec le pollen d'une plante tropicale. Un assassinat pur et simple. De plus, le flacon d'Asmaben bouché laisse entendre qu'on a pénétré dans sa chambre après sa mort. Jusque-là, tout est clair ?

– Limpide.

– Bon. Nous savons que les Morozzi ont dit la vérité, à savoir qu'ils étaient au restaurant à l'heure de la mort, 21 heures. On pourrait en conclure qu'ils sont innocents. » D'un geste, il imita un tiroir ouvert et fermé. « Maintenant, supposons qu'ils ont effectivement tué Mme Pedretti. Comprendre le mécanisme est simple : ils ont trouvé le moyen de faire inhaler le pollen à leur tante en restant à des dizaines de kilomètres de distance. Vous voyez, commissaire ? La théorie est aisée. Mais comment diable s'y sont-ils pris ? Voilà ce qui est difficile.

– Ils ont peut-être payé quelqu'un.

– Pour subir un chantage jusqu'à leur mort ? Et puis ce sont deux chiffes molles, ils seraient incapables de dénicher un exécutant.

– Continue. »

Piras exposa d'une voix claire et sèche la dynamique de l'assassinat de Mme Pedretti Strassen.

« Récapitulons sous une autre forme. Une femme souffre d'asthme allergique. Je décide de la tuer en faisant passer mon crime pour un accident. Je sais que le pollen de maté entraînera sa mort, mais je sais aussi que son remède peut la guérir. Il faut donc qu'elle inhale ce pollen tropical sans qu'elle puisse prendre son médicament. »

Bordelli se cala sur sa chaise et alluma une cigarette en se promettant de n'en fumer que la moitié. Il était tiraillé entre le désir de connaître les hypothèses de Piras et le plaisir qu'apportent les longs exposés, pourquoi pas romancés. Il aurait également aimé qu'il pleuve à verse afin de profiter ensuite d'une nuit plus fraîche. Piras n'avait pas ce genre de problèmes : malgré la canicule, il était frais et sec.

« Primo, poursuivit le Sarde, il me faut les clefs de la demeure. Cela demande un peu de ruse, mais ce n'est pas difficile. Il me suffit de faire une empreinte, ou un double en empruntant le trousseau en cachette.

– Bien sûr.

– Je dois ensuite me procurer le pollen. Je me suis renseigné. Le jardin botanique possède plusieurs exemplaires de maté.

– Sous serre ?

– Oui. Il suffit d'arracher quelques fleurs en cachette.

– Exact.

– Il importe ensuite que ma victime inhale bien tranquillement ce pollen et qu'il n'en reste aucune trace.

– Justement.

– Il existe certainement un système, il suffit de le trouver. Mais il y a un autre problème : faire en sorte que Mme Pedretti n'absorbe pas le remède qu'elle tient toujours à portée de main.

– Continue, dit Bordelli en fixant une mouche qui marchait sur le carreau de la fenêtre.

– Ça, c'est plus facile. Il convient de remplacer le flacon par un flacon identique, rempli d'eau.

– Comment ?

– J'ai un double des clefs. Il est facile de me cacher dans cette grande demeure et de profiter de ce que ma tante se trouve au rez-de-chaussée pour entrer dans la chambre, échanger les flacons et déposer le pollen à l'endroit nécessaire.

– Et si le flacon que trouve la police ne contient pas le médicament miraculeux, mais de l'eau ?

– C'est juste. Je retourne à la villa en pleine nuit et remets les objets à leur place. Je verse quelques gouttes de remède dans la bouche de ma victime pour faire croire qu'elle en a pris, puis je remets le bon flacon à l'endroit habituel. Mais je suis nerveux, et j'oublie de laisser le bouchon dévissé... Ce maudit bouchon. »

Le commissaire poussa un soupir et lança d'une voix ironique : « Si les choses se sont passées ainsi, il ne nous reste plus qu'à découvrir l'identité du coupable et la façon dont il a procédé.

– Le coupable est probablement l'un des héritiers. Nous avons affaire à un de ces crimes qu'on mûrit longtemps et qu'on organise porté par une grande conviction et un bon mobile. Et l'argent est un excellent mobile, du moins pour certains.»

Bordelli tira une nouvelle cigarette de sa poche et s'abstint de l'allumer. Il en offrit une au Sarde, qui refusa poliment. À en juger par son air dégoûté, ce n'était pas un fumeur.

«Bien, Piras. Supposons que tu aies raison. L'assassin se tient devant moi, je sais que c'est lui, je n'ai aucun doute. Mais nous devons trouver des preuves, faute de quoi le procès ne s'ouvrira même pas.

– Il faut avant tout découvrir le mécanisme de l'assassinat.

– Oui, le mécanisme.»

Ne résistant plus, Bordelli alluma sa cigarette et aspira deux profondes bouffées après avoir secoué la première cendre. «Comment diable s'y sont-ils pris?» répéta-t-il, pensif. Agacé par la fumée, Piras recula et agita les mains, comme s'il trouvait soudain le courage de s'affirmer.

«Bon, recommençons, poursuivit le commissaire en feignant l'indifférence. Imaginons que les assassins se tiennent devant nous. Nous savons qu'ils sont coupables et ils savent, eux, que nous ne possédons aucune preuve. Que ferais-tu?

– Il me paraît inutile de les mettre sur la sellette sans avoir démoli au préalable leur alibi. Bref, il importe de comprendre comment...» Il s'immobilisa soudain et, balayant la fumée de la main, indiqua les cigarettes. «Savez-vous, monsieur, que chaque cigarette raccourcit votre vie d'une heure?»

Le commissaire savait très bien les dégâts d'une seule cigarette mais il se gardait de les additionner. Il écrasa son long mégot dans un cendrier, ne serait-ce que pour ne plus voir les grimaces du Sarde. « Je sais que c'est une habitude idiote, Piras, mais j'ai du mal à m'en libérer. J'ai commencé pendant la guerre.

– Bon, continua le jeune homme, satisfait, je disais qu'il importe de comprendre comment ils ont tué à distance.

– Cela fait une heure que nous en parlons.

– Je n'ai pas terminé. Les assassins se croient protégés par leur alibi et ils ont d'une certaine façon raison. Mais si nous découvrons leur astuce, nous les réduirons à néant, car nous leur prouverons que leur alibi est inconsistant. Nous pourrons alors tenter d'obtenir leurs aveux.

– Tu crois ?

– J'ai dit que nous pouvions essayer. Sans alibi, ils auront peur. Je ne vois pas d'autre possibilité. »

Bordelli réfléchit un moment, le menton sur la main et les yeux pointés vers le visage ligneux de Piras. Puis il se tourna vers la fenêtre d'où pénétrait enfin un souffle de vent. Un coup de tonnerre retentit au lointain. Dans la rue, un passant appelait son chien. Les hirondelles s'empiffraient d'insectes en volant bas et en piaillant entre les maisons. Il était près de 21 heures, soit, pour lui, le moment le plus mélancolique de la journée.

Soudain, un bruit de freins, en bas, l'arracha à ses rêveries. Il glissa une nouvelle cigarette entre ses lèvres et, d'un geste, rassura le Sarde : « Je ne l'allume pas, c'est juste une consolation. Bon, creusons-nous la cervelle, Piras. Il faut démolir ce maudit alibi.

– Je voudrais bien, monsieur, mais c'est aussi difficile que de déterminer la composition de l'eau en regardant la pluie tomber. »

Le jeune homme proposa une nouvelle fois au commissaire de le raccompagner chez lui, puis, après un dernier refus, l'abandonna sur un regard complice.

Bordelli expédia quelques tâches et téléphona chez son cousin en vain. Il éteignit la lumière et s'attarda encore un peu dans son bureau pour savourer le spectacle du ciel rougeoyant. Enfin, il fuma la cigarette qu'il mâchonnait depuis une demi-heure.

Il n'était pas encore 23 heures quand Bordelli se coucha. Malgré les spirales antimoustiques, les insectes s'obstinaient à bourdonner autour de sa tête. Il alluma une énième cigarette et la savoura en songeant à Elvira. Il pensa intensément à elle, dans le but, se dit-il, de l'oublier plus vite. Était-ce la fatigue ? Il avait l'impression de la voir sur la plage, près de ses tantes de Mantoue, puis jouant avec lui sur le sol en marbre, un après-midi à 14 heures. Il vit ses pieds nus, sa bouche rouge qui se détachait sur son visage bronzé... Elle lui souriait, se laissait aller sur le lit et le regardait fixement, les bras tendus. Alors il se précipitait vers elle, caressait ses cheveux blonds et parfumés, l'étreignait...

Elle lui rappelait quelqu'un... Oui, une domestique aux allures de femme, malgré ses seize ans, rencontrée un été de cinquante années plus tôt, chez ses vieilles tantes. Comment se prénommait-elle déjà ? Mariolina, Giannina, Annina... Exactement, Annina, une blonde aux grands yeux verts et au petit nez imparfait qui lui plaisait à en mourir. Il avait tout juste onze ans et était animé d'une immense curiosité envers le monde.

Il la revit entrer un après-midi dans la salle de bains alors qu'il était dans la baignoire.

« Tu veux que je te savonne le dos ?

– Oui. »

Annina se pencha sur lui avec un sourire et fit courir plusieurs fois sa main sur son dos. Au contact de ces vagues d'eau tiède, il ferma les yeux de plaisir et demanda :

« Tu veux l'éponge ?

– Je n'en ai pas besoin. » Elle frotta son cou, ses épaules, sa poitrine et descendit jusqu'à son ventre.

Ce fut le début d'un jeu mystérieux, né d'un frisson le long de sa colonne vertébrale et d'un fourmillement dans son ventre. Il se cambra et, tirant sur son engin, plaisanta : « Regarde, un périscope ennemi !

– Je m'en occupe ! » Elle referma deux doigts dessus et le pressa avec douceur.

Aussitôt, le jeune Bordelli se renversa, en proie à la sensation que l'espace s'était élargi autour de lui. « Tu veux encore le voir ?

– Peu importe. Je sais où le trouver. »

Retroussant sa manche, elle plongea le bras dans l'eau et dénicha aussitôt le sous-marin. Elle s'adonna avec un sourire complice à une série de jeux sous la mousse. Très vite, le périscope changea de forme, il durcit et se redressa, suscitant une certaine crainte chez le petit Bordelli, qui l'imaginait énorme. C'est alors qu'une bouffée de chaleur l'envahit et que ses lèvres se mirent à trembler. Maintenant le périscope s'enflammait, prêt à exploser, semblait-il, tandis qu'une force inconnue ruait comme un poulain en faisant gicler de l'eau sur le sol. Riant de joie, Annina continua à cajoler le sous-marin pendant quelques secondes, puis caressa les cheveux mouillés de Bordelli.

« Tu as aimé ? » interrogea-t-elle en s'essuyant les mains sur son jupon. Elle avait un visage de madone. « Hé, sous-marin ! Ne raconte pas notre jeu à tes tantes, sinon elles nous l'interdiront. C'est un secret, d'accord ? » Il opina du bonnet et s'agrippa aux rebords de la mémoire pour éviter de chavirer. « Tu as compris, n'est-ce pas ? À personne.

– Je le jure », dit-il, les doigts croisés sur les lèvres. Annina lui lança un baiser et ouvrit la porte. Mais il la retint : « Annina !

– Quoi ?

– Je peux te demander quelque chose ?

– Grouille-toi.

– Est-ce que je peux me laver tous les jours ? »

Annina éclata de rire. « Tes tantes vont se réjouir ! » Après lui avoir envoyé un autre baiser, elle s'éloigna, l'abandonnant à cet étrange jeu.

C'est ainsi qu'il prit l'habitude de se laver.

« Quel brave petit homme, toujours propre », commentaient ses tantes, ravies.

Chaque fois, Annina se glissait dans la salle de bains et jouait avec lui. Il l'embrassait ensuite sur le visage ou plongeait la figure dans ses cheveux blonds, reniflait son parfum de soleil et de cuisine.

Un matin, elle lui murmura à l'oreille : « Ce soir, je te rendrai visite dans ta chambre et je te lirai un livre. Tu es d'accord ? »

Il se coucha, tout impatient, guettant les bruits de la maison. Au bout d'un laps de temps interminable, la porte s'ouvrit enfin. Apeuré subitement, il tira le drap sur sa tête, puis sentit qu'on s'asseyait sur son lit. Le drap fut baissé et le visage d'Annina apparut. Elle était souriante, nerveuse, coiffée d'une tresse blonde qui lui couvrait l'oreille et vêtue d'une chemise de nuit d'un blanc presque phosphorescent.

« Ne faisons pas de bruit, murmura-t-elle.

– D'accord.

– Que veux-tu que je te lise ?

– Bof ! »

La jeune fille brandit un petit livre en mauvais état. « Tu connais *Moby Dick* ?

– La baleine ?

– Tu as envie que je te le lise ?

– Oui. »

Annina posa le livre sur ses genoux et le tint d'une main ferme. Elle fourra l'autre sous les draps et commença à jouer avec le périscope. Puis elle referma le livre et dit : « Je peux me mettre au lit avec toi ? »

Comme il avait acquiescé, elle lâcha l'ouvrage et s'allongea à côté de lui. « Allez, ma petite torpille, viens sur moi, on va faire un câlin. »

Hissé sur elle, il glissa le visage sous son menton et posa les lèvres sur sa clavicule. Dans le cou de la femme, une veine battait vite. Elle s'affaira autour du périscope en un jeu qui lui échappait. Enfin, elle lui poussa les fesses en avant et il eut l'impression de plonger dans un bain chaud. Levant les yeux, il vit qu'elle souriait, les yeux clos, la tête renversée, sa tresse sur l'oreille.

Elle réclama ensuite des baisers, dont il se hâta de lui couvrir les joues, le nez et les yeux, les oreilles, la bouche et le menton. Pendant ce temps son périscope s'enflammait, déclenchant une vague de chaleur qui l'emporta en se démultipliant. Effrayé, hors d'haleine, il se serra contre Annina, tandis qu'elle murmurait à son oreille des mots incompréhensibles, mais il était si bien que les larmes lui montèrent aux yeux.

Puis la paix vint.

« Et maintenant dors », dit Annina. Il s'abandonna sur elle, comme dans une grande mer parfumée, et s'endormit. Quand il se réveilla le lendemain matin, il eut la joie de humer l'odeur de la jeune fille sur les draps.

Quelques jours plus tard, Annina dut rentrer chez elle. Ses parents lui avaient trouvé un emploi chez une couturière dans le village voisin. Planté sur le seuil de sa chambre, il la regarda faire sa valise. Elle se retournait de temps en temps et lui lançait en guise de plaisanterie :

« Espèce de monstre ! »

Avant qu'elle ait terminé, il sortit dans le jardin et rejoignit ses tantes, qui prenaient le thé sous la tonnelle. Annina se présenta un peu plus tard, son bagage à la main, et s'inclina pour les saluer. Mais les deux femmes bondirent sur leurs pieds et l'embrassèrent.

« Ma chère Annina, nous te souhaitons beaucoup de bonheur, donne-nous des nouvelles... »

La jeune fille se pencha sur Bordelli, déposa un baiser sur sa joue et murmura : « Salut, petite torpille. »

Ses lèvres étaient si proches que les mots rebondirent dans sa tête. Imaginant que ses tantes avaient elles aussi entendu, il rougit et la vit s'éloigner de son pas rapide en espérant qu'elle se retournerait. En vain. La dernière image qu'il eut d'elle fut celle de sa tresse blonde ondoyant dans son cou nu.

« Une lettre recommandée de Rome pour vous, monsieur.

– Merci, Mugnai. Pose-la ici. Sais-tu où est Piras ?

– Je vous l'envoie tout de suite, monsieur, je viens de le voir. »

Mugnai disparu, Bordelli ouvrit la lettre, qu'il lut en cherchant d'une main ses cigarettes. Il était promu commissaire principal car le vieux Giuseppe Ierino partait à la retraite. Il chassa une mouche de son poignet, puis alluma une cigarette et appela sur une ligne intérieure le bras droit du commissaire divisionnaire.

« Monsieur Cavia, ici Bordelli.

– Bonjour, Bordelli. Vous avez appris la nouvelle ?

– Bien sûr.

– Vous le méritiez, n'est-ce pas ? Vous pouvez vous installer dès demain dans le bureau de Ierino.

– Ce n'est pas pour ça que je vous appelais, monsieur. Je préfère rester où je suis.

– Pourquoi ? Le bureau de Ierino est plus vaste. Et puis il donne sur la rue, il est plus lumineux.

– Je préfère rester où je suis, croyez-moi.

– Je ne vous comprends pas.

– Moi non plus, mais je préfère, je vous l'assure.

– Comme vous le voulez…

– Merci, monsieur. »

Bordelli écrasait sa cigarette dans le cendrier quand un coup retentit à sa porte. « Entrez.

– Vous souhaitez me parler, monsieur ?

– Assieds-toi, Piras. Nous allons faire le point de la situation. »

Le Sarde s'exécuta tout en fixant, l'air inquiet, le filet de fumée qui s'élevait du cendrier. S'en apercevant, Bordelli écrasa davantage le mégot. C'est alors qu'un souvenir lui remonta en mémoire. Il se gifla le front.

« Merde ! » Il venait de se rappeler les fleurs de Rosa. Il se leva et, les bras écartés, lança : « Pardonne-moi, Piras, faut que je parte. »

Ils sortirent ensemble. Sur le seuil, Bordelli se retourna pour contempler ce qui était son bureau depuis quinze ans. C'était devenu une pièce aussi familière que celles de son appartement, il aurait pu y prendre ses repas et y dormir comme s'il était chez lui. Rien ne le persuaderait de s'installer à l'étage supérieur, pas même une augmentation de salaire. Et puis voir quelqu'un occuper sa chaise le vieillirait.

« À plus tard, Piras, dit-il. En attendant, réfléchis à notre affaire.

– J'ai la tête qui fume, monsieur, mais je ne baisse pas les bras. Je sens que nous nous rapprochons de la solution.

– Il est toujours bon d'être optimiste. »

Il se précipita chez Rosa à bord de la Coccinelle, imaginant déjà la scène qui l'attendait : les plantes jaunies ; pis, desséchées jusqu'à la racine, mortes, et la tête de leur propriétaire à son retour. Elle hurlerait ct bouderait des jours durant.

Il se gara devant le bar de Carlino Forzone, ancien partisan qui avait œuvré dans le Piémont, où il avait rencontré Beppe Fenoglio en personne. Après la guerre, il avait manifesté son indignation en plaçant de « bonnes » bombes, selon son expression, des bombes qui n'avaient tué personne, mais indiqué à leurs destinataires qu'ils ne pouvaient pas duper tout le monde[1].

Bordelli aperçut l'homme derrière les vitres. Les joues creuses, les doigts tachés de nicotine, un mégot aux lèvres, il lisait son journal au comptoir : il était toujours prêt à s'en prendre aux démocrates chrétiens et au monde entier.

« Salut, Carlino, dit-il en entrant. Rosa a dû te confier un trousseau de clefs pour moi.

– Justement, je voulais vous parler ! » L'homme abattit la main sur son journal et lut : *Le ministre a assuré qu'il est nécessaire d'oublier le passé... il faut fournir une réponse concrète au pays... L'Italie est sortie à grand-peine, mais la tête haute, d'une guerre fratricide... seul l'avenir compte désormais... il a loué le labeur de toutes les catégories de travailleurs qui, en l'espace de quelques années... un grand développement du pays... le bien-être... la maison... je m'engage solennellement à faire respecter... et patati et patata...* moi, j'entends ça depuis des années, et les mains m'en démangent tant que j'ai presque atteint l'os à force de me gratter.

– Arrête de te ronger les sangs, Carlino. On a trimé comme des malades, aux jeunes maintenant de prendre la relève. Tôt ou tard, tu verras, les méchants recevront une rouste. »

Carlino froissa son journal et se dirigea vers le percolateur. « Un café ? »

---

1. Allusion au retour au pouvoir, dans l'après-guerre, d'hommes politiques autrefois liés au fascisme, notamment dans les rangs de la Démocratie chrétienne.

– Non, merci, j'en ai déjà bu deux.

– Les jeunes ne pensent qu'à s'amuser. Les chemises noires et la guerre ? Ils s'en tapent !

– Ne te vexe pas.

– Ils nous considèrent, nous autres les vieux, comme des gâteux ayant la nostalgie des bombes.

– Ils ont peut-être raison, Carlino.

– Bon sang, j'aurais aimé voir ces poupons se battre contre les nazis et les brigades noires !

– Ils finiront bien par comprendre.

– Il faudra d'abord que les autorités aient le courage de dire la vérité, bordel ! Après la guerre, elles ont tiré les fascistes des prisons pour nous y fourrer, nous autres partisans. L'heure de s'expliquer est venue, non ? » Il puisa un trousseau de clefs dans un tiroir et les tendit au commissaire. « Non ! Si nous qui avons vu ce que nous avons vu ne changeons pas le monde... personne ne le fera, j'en mets ma main au feu.

– J'adorerais changer le monde. Je peux juste essayer de bien faire mon métier.

– Parfois je me demande comment vous pouvez travailler dans la police, à *leur* service.

– Je ne suis au service de personne, Carlino. J'exerce le métier de policier. J'essaie de démasquer des assassins. La politique n'a rien à voir avec ça.

– Vous vous trompez. Tout est politique, commissaire, même le simple acte de... de pisser.

– Bon, Carlino, il faut vraiment que j'y aille.

– Au revoir, commissaire, n'oubliez pas de venir de temps en temps. »

Dans la rue, Bordelli se dirigea d'un pas rapide vers l'immeuble de Rosa, comme si quelques secondes pouvaient encore sauver les plantes. Il gravit l'escalier, ouvrit la porte et traversa la salle de séjour en toute hâte. C'est alors qu'il entendit du bruit dans la chambre de son amie.

« Il y a quelqu'un ? »

Au même moment, une porte grinça. Il gagna la chambre d'un pas prudent et alluma la lumière. Tout semblait en ordre, si l'on exceptait un battant de l'armoire entrouvert.

« Rosa, c'est toi ? »

Il éteignit la lumière et retourna dans l'entrée. Il feignit de sortir et alla sur la pointe des pieds patienter à la cuisine en lorgnant la salle de séjour à travers l'entrebâillement de la porte.

Au bout d'une minute, une tête surgit de la chambre de Rosa. Elle appartenait à un petit homme maigre au visage triste de comique de variétés, qui filait à pas de loup vers la sortie. Bordelli se montra.

« Canapini ! Qu'est-ce que tu fiches ici ?

– M'sieur l'commissaire... c'est vous !

– Oui, mais tu ne m'as pas encore répondu. »

L'intrus écarta les bras, l'air de plus en plus triste.

« Canapini, lança Bordelli en s'asseyant dans un fauteuil. Tu as une de ces poisses ! Tu as choisi l'appartement d'une de mes amies.

– Je jure que je savais pas ! J'ai pris qu'un objet. Je le remets tout de suite à sa place. Je jure que je l'ignorais. » Il tira de sa poche une statuette en verre jaune qu'il épousseta avec la manche de son tricot, puis reposa sur une étagère. « Voilà ! dit-il avec un air de chien battu.

– À 10 heures du matin, Canapini !

– J'suis à sec, m'sieur l'commissaire. Si je trouve rien à vendre au Boiteux aujourd'hui, je mangerai rien.

– Quand es-tu sorti ?

– Hier. C'est mon premier appartement.

– Aide-moi à arroser, s'il te plaît. »

Le voleur suivit Bordelli sur la terrasse avec vue sur les toits de Santo Spirito. Ensemble, ils abreuvèrent les assoiffés : géraniums, azalées, tulipes, romarin, lavande, ainsi que d'autres plantes que Bordelli était incapable de reconnaître. Par chance, elles avaient résisté à la chaleur.

« Cana, ne gaspillons pas notre salive. Primo, raye cette adresse de tes carnets. Attends ! Deuzio, ne fais pas d'histoires et prends ça. » Il lui fourra dans la main un billet de dix mille lires. « Ne dis rien. On a augmenté mon salaire aujourd'hui même.

– J'peux pas accepter, protesta l'homme, les larmes aux yeux.

– Le chapitre est clos. Si tu refuses cet argent, je t'arrêterai, et je ne plaisante pas !

– Merci, m'sieur l'commissaire, si tous les flics étaient comme vous...

– ... tu te laisserais surprendre la main dans le sac, pas vrai ? »

L'homme se mit à renifler, cramoisi. Alors Bordelli posa la main sur son cou et s'exclama : « Ça suffit. Bon sang, tu es le voleur le plus malchanceux que je connaisse. Pourquoi ne changes-tu pas de métier ?

– Pour faire quoi ?

– Et si tu venais manger un morceau chez moi demain soir ? J'ai invité des amis. C'est Botta qui cuisine.

– Botta ? Ça fait des mois que je ne l'ai pas vu !

– Parce que vous allez en vacances dans des endroits différents.

– Botta... il sait faire la cuisine ?

– Non, il ne sait pas faire la cuisine, c'est un cuisinier. Il y a une différence.

– Incroyable !

– Tu te souviens de mon adresse ?

– Évidemment, m'sieur l'commissaire, elle est gravée ici ! » s'exclama l'homme en posant un doigt sur le front.

Bordelli se dit que Canapini méritait au moins une inscription dans un cimetière : il appartenait à cette génération de voleurs qui plaçait l'honneur au-dessus de l'argent, une espèce en lente mais inexorable extinction. Une fois sur le trottoir, il eut une idée.

« Écoute, Cana, je suis censé arroser ces plantes tous les jours, mais j'ai un tas de boulot.

– Je m'en charge, vous inquiétez pas, je m'en charge ! » Dans l'acte de sourire, le voleur semblait encore plus triste.

« Merci ! Tu m'ôtes une belle épine du pied. Voici les clefs. »

Canapini leva les deux mains. « Me les donnez pas, m'sieur l'commissaire, j'voudrais pas les perdre.

– Et comment entreras-tu ? » demanda Bordelli avant de secouer la tête avec un sourire.

« Ce n'est pas sans raison que Dieu a créé les mouches. » Qui avait écrit ça ? Bordelli se plongea dans les souvenirs de ses lectures de jeunesse à la recherche de la solution, et s'y égara. Peu à peu d'autres mouches ressurgirent dans son esprit, posées sur le visage du dernier nazi qu'il avait tué, en avril 1945, dans le nord de l'Italie, alors que celui-ci passait au pied de l'escarpement sur lequel lui-même était posté. Il l'avait touché de loin, après avoir réglé son fusil-mitrailleur au coup par coup, puis il était descendu avec ses hommes. Un jeune blond gisait au sol, les yeux grands ouverts. Bordelli avait ramassé son casque, qui avait roulé un peu plus bas : sur le côté, un grand X rouge masquait la croix gammée. La balle l'avait transpercé à l'endroit même où était peint en blanc le N d'Anna, ainsi qu'un cœur, pointe à gauche. Son estomac s'était noué : ce n'était pas un nazi qu'il avait tué, mais un garçon blond amoureux d'une Italienne. Il s'était assis sur l'herbe et avait allumé une de ses cent cigarettes quotidiennes. Ce casque se trouvait à présent quelque part, dans une armoire. Il n'avait plus tué personne. Il n'avait pas voulu graver une trente-huitième encoche sur la crosse de son fusil-mitrailleur.

Il se frotta le visage et se dit pour la première fois que la guerre était bien loin.

« Je vous dérange, monsieur ? » Dans l'entrebâillement de la porte avait surgi le visage de Piras. « Je vous dérange, monsieur ?

– Mais non, entre.

– Je voulais savoir ce que nous faisons avec les Morozzi.

– À ce que je vois, tu as pris l'affaire à cœur.

– Si c'était moi, je les interrogerais de nouveau, mais séparément. Leurs femmes aussi.

– Tu veux les mettre sur les charbons ardents ?

– Exactement. Et peu importe que nous ayons encore les idées embrouillées. Qu'en pensez-vous ?

– Piras, te rappelles-tu qui a écrit : "Ce n'est pas sans raison que Dieu a créé les mouches" ?

– Saint Augustin, monsieur. Dans les *Confessions*. »

Bordelli opina du bonnet, comme s'il le savait. « Bien, Piras, je suis d'accord. Interrogeons-les tous les quatre séparément.

– Alors, je les convoque.

– Oui. Dis-leur de venir demain. »

Bordelli réfléchit encore un moment après le départ du jeune homme. L'affaire en était toujours au même point. Il importait de découvrir comment on s'y prenait pour tuer une personne à cent kilomètres de distance. Et tout ça au mois d'août, le mois d'août le plus chaud dont il se souvenait.

Et si les Morozzi étaient innocents, qui avait tué Mme Pedretti ? Et pourquoi ? Une vengeance ?

Bordelli songea à Rodrigo avec envie : il découvrait l'espoir et une nouvelle existence, il avait peut-être trouvé la femme de sa vie. Et dire qu'il avait deux ans de moins que lui... Il essaya d'imaginer les nuits de son cousin avec sa mystérieuse maîtresse.

L'interrogatoire fut pénible. Les frères Morozzi ne firent que pleurnicher. Tout en épongeant leur transpiration avec un mouchoir, ils répétaient ce qu'ils avaient déjà déclaré. Leurs épouses, Gina et Angela, se ressemblaient comme des sœurs. Mêmes manières désagréables, même maquillage de maison close, même odeur de farine de châtaignes. Elles débitèrent elles aussi les mêmes propos que leurs maris avec un air chagriné qui inspirait l'antipathie.

Bordelli et Piras obtinrent le résultat escompté : inquiéter les quatre individus. Mais rien de plus. Après leur départ, le premier lança :

« Alors, Piras, comment ont-ils procédé ? Et cette odeur... de quoi s'agit-il ?

– Je n'arrête pas d'y penser, monsieur, mais je ne trouve pas. » Naturellement, le Sarde avait répondu à la première question. Tandis que le commissaire humait l'air de la pièce, agacé, puis ouvrait la fenêtre, il s'efforçait d'assembler les pièces du puzzle. À présent, la dynamique de l'assassinat était à peu près établie : la Giulietta Sprint de Salvetti, le flacon remplacé, l'empreinte des clefs. Restait à résoudre l'énigme du pollen. Après quoi, toutes les pièces s'emboîteraient.

Bordelli reprit : « L'enterrement a lieu cet après-midi, Piras. Nos amis se retrouveront ensuite chez le notaire pour l'ouverture du testament.

– La victime était-elle très riche ?

– Oui, mais elle a tout légué à des religieuses.

– Bien, commenta Piras avec un sourire amer.

– Si les Morozzi sont coupables, ils se sont démenés pour rien. »

Il consulta sa montre : il était 13 heures. L'odeur écœurante qui imprégnait l'air avait fini par lui donner mal à la tête. « Je vais manger quelque chose, Piras. À ce soir, chez moi.

– Bien. »

En sortant, il frappa à la vitre de la guérite. « Mugnai, quand tu pourras, monte dans mon bureau. Les deux femmes que j'ai interrogées m'ont laissé en souvenir une odeur infernale. Vois si tu peux la chasser.

– À vos ordres, monsieur. »

Bordelli se rendit chez lui. Il ne pouvait pas aller déjeuner chez Toto : il voulait faire un repas léger et s'allonger une demi-heure avant de retourner au commissariat. Il s'assit à la table de la cuisine, où il mangea du thon et des oignons, tandis que Botta s'affairait déjà autour des casseroles avec le sérieux d'un ingénieur.

« Ce soir, nous aurons un invité supplémentaire, Botta. Mais ne t'inquiète pas, il s'agit de Canapini.

– Cana ? Où l'avez-vous trouvé ?

– Par hasard, chez une amie.

– Je vois, vous l'avez surpris la main dans le sac.

– Peu importe. »

Botta grimaça tout en tournant une louche dans une grande marmite en terre d'où s'échappaient des effluves dantesques. « Quel fou, ce Cana ! Je suis content de le voir, le pauvre. Il est sorti depuis quand ?

– Deux jours.

– Quelques haricots ?

– Merci. »

Ennio versa dans l'assiette du commissaire une louche de haricots bouillants, puis se mit à hacher du persil. Un gros morceau de viande rouge gisait sur le coin de la table, près d'un saladier rempli de pommes de terre coupées en dés. De mystérieux sachets étaient alignés sur le bahut.

« Qu'est-ce que tu as prévu après la soupe lombarde ?

– Une surprise, commissaire. Je ne peux dire qu'une seule chose : ce sera un voyage à l'étranger.

– Dans le Nord ou dans le Sud ?

– Inutile de m'interroger. Botta ne parle pas.

– Avec cette chaleur, tu nous amèneras certainement dans le Sud. Maroc ? Tunisie ?

– Ne me distrayez pas, j'ai du travail. »

Bordelli finit le thon et croqua dans une pomme, tandis qu'Ennio se déplaçait agilement entre la table et les fourneaux en une sorte d'apnée mentale. Craignant de le déranger, il alla s'allonger sur son lit et alluma une cigarette. La lumière aveuglante du soleil filtrait à travers les fentes des volets. À cette heure de la journée, le silence était presque total. Une grande mélancolie commença à l'envahir. Il ferma les yeux, puis, par peur de s'endormir, écrasa son mégot dans le cendrier. Tourné sur le côté, il essaya de chasser de son esprit l'image d'Elvira écartant une mèche blonde de son visage.

Un souvenir beaucoup plus ancien remonta à sa mémoire... une ferme abandonnée au sommet d'une colline... En patrouille avec Piras père, il gravissait la pente au milieu des champs incultes. Au terme de leur ascension, ils s'immobilisèrent sur l'aire et jetèrent un regard circulaire. C'était le printemps, et les insectes bourdonnaient autour des fleurs. Il émanait des briques chaudes une tiédeur presque maternelle qui donnait envie de s'étendre sur l'herbe et de plonger dans un sommeil éternel. Bordelli mit sa mitraillette en bandoulière et, les mains croisées sur sa tête, huma l'air. Soudain il se retourna et vit le double canon d'un fusil de chasse surgir d'un buisson, à côté de la maison.

Il saisit Gavino par le bras et l'attira au sol. Une seconde plus tard, les balles s'écrasèrent sur le mur, soulevant un nuage de poussière jaune.

« Qu'est-ce que je fais ? Je tire ? » interrogea Piras père. Bordelli secoua la tête. Allongés sur les briques chaudes, ils scrutèrent les buissons. Le fusil avait disparu, mais il réapparut bientôt non loin de là. Les deux camarades roulèrent sur eux-mêmes alors que la grêlée de projectiles fauchait l'herbe et éraflait les briques. Bordelli bondit et se précipita dans le buisson où il se trouva nez à nez avec un vieillard barbu au béret noir enfoncé sur le crâne, qui agitait son arme pour le tenir à distance.

« Vous voulez mes poulets, hein ? Pas de poulets, l'ami. Les Allemands les ont fusillés, eux aussi, hi, hi, hi, pas de poulets et pas de lapins, tous kaput, hi, hi, hi, sprechene doïtche ? Hi, hi, hi ! Lapins traîtres, contre le mur, kaput ! » Les yeux écarquillés, il éclata de rire.

Gavino les rejoignit. « Qui est ce type ? »

Sans détourner le regard du vieillard, Bordelli cogna deux fois son index sur sa tempe.

« Il est peut-être fou, déclara Piras, mais il s'apprêtait à nous saigner. »

D'un signe, Bordelli lui indiqua que c'étaient des cartouches de rien du tout, le genre de cartouches qu'on utilise pour tuer les oiseaux.

À présent, le paysan contemplait son fusil, le front froncé, comme s'il écoutait un bruit lointain. Puis il baissa l'arme et se mit à sangloter. « Salauds ! » dit-il. Il se frotta le nez et tapa le pied par terre avec autant de force que s'il voulait crever la croûte terrestre. Enfin il cracha et pointa de nouveau son arme sur Bordelli.

« Pas de poulets, guénéral, tous kaput, hi, hi, hi ! Sprechene doïtch ? Tous kaput. »

Bordelli et Piras échangèrent un coup d'œil, puis saisirent par les bras le pauvre homme, qui continuait de répéter « kaput, kaput », et le ramenèrent au camp. Ils le conduisirent à l'infirmerie où, cajolé comme un enfant, il s'empiffra de cochonneries américaines et s'enivra au point de vomir. Le lendemain, on l'expédia avec quelques blessés dans un hôpital de l'arrière. Bordelli s'était ensuite demandé s'il n'aurait pas mieux fait de le laisser vivre jusqu'au bout sa vie de fou dans sa ferme.

Une mouche se posa sur son nez. Il tourna les yeux vers son réveil : il était déjà 18 heures. Il s'employa à ranimer ses membres engourdis et posa un livre sur le cendrier pour masquer l'odeur écœurante qui s'en dégageait. Il eut une pensée pour Mme Pedretti Strassen, ses mains serrées autour de sa gorge, ses pieds blancs veinés de bleu, son nez décidé et légèrement crochu, ses yeux remplis d'horreur. Elle était morte toute seule dans sa villa perchée sur la colline, au-dessus de la ville déserte, et entourée d'arbres séculaires. Il eut envie de retourner respirer cet air et de revoir les lieux. Il se chaussa et gagna la cuisine où Botta, très concentré, découpait la viande en dés, tandis que montait d'une casserole une fumée épicée, et lui annonça qu'il serait de retour vers 21 heures. Puis il sortit et se dirigea vers sa Coccinelle garée à l'ombre, à bord de laquelle il rejoignit les quais de l'Arno. Tout en parcourant le ponte alle Grazie, il contempla comme d'habitude l'église de San Miniato, sa préférée : de près comme de loin, sa façade blanche le fascinait. Quelques minutes plus tard, il s'engageait dans la montée qui menait à la villa. Il roulait lentement, le visage exposé au vent tiède qui pénétrait dans l'habitacle. Bientôt il aperçut le toit de la demeure, surmonté d'un cèdre immense. Il se coula dans les derniers virages, une cigarette aux lèvres : il la fumerait calmement, assis sur un divan face à un beau tableau.

Il gara sa voiture sur la même placette et traversa la rue. La ville qui s'étendait en contrebas, avec ses toits rouges et ses clochers, lui donnait envie de crier à pleins poumons. Il aurait aimé oublier les yeux d'Elvira, les petites gifles que ses pieds nus assenaient au carrelage. Il aurait voulu oublier qu'il avait cinquante-trois ans, qu'il était devenu un ours mélancolique et désabusé, un vieillard aimant la solitude et incapable d'ouvrir son cœur.

Il alluma la cigarette et poussa le portail avec une certaine pudeur, comme s'il violait l'intimité de quelqu'un. Il traversa le jardin, entra dans la maison et gagna aussitôt la chambre de Rebecca, au premier étage. Il ouvrit tout grand la fenêtre qu'il avait laissée entrebâillée, s'empara d'une chaise et s'assit devant. Il regarda le vent agiter lentement les branches des arbres majestueux, puis s'endormit, le menton sur la poitrine, bercé par les stridulations des cigales.

Une rafale de vent siffla entre les arbres, et il se réveilla. La nuit arrivait. Sa cigarette était tombée et s'était consumée, laissant sur le carrelage une rayure marron. Il consulta sa montre et constata qu'il était près de 21 heures.

« Bon sang », dit-il. Le dîner devait déjà être prêt. Il cherha un cendrier du regard et avisa une corbeille à papier dans un coin. Il y lança son mégot mais rata sa cible et se leva avec un soupir. En passant près du lit, il remarqua un mouvement sur les draps. Il pivota : un énorme chat blanc était allongé sur l'oreiller, les pattes en l'air et les yeux mi-clos.

« Qu'est-ce que tu fais là, toi ? »

Il s'approcha. Le félin ouvrit les yeux et se mit à miauler. Bordelli lui caressa longuement le ventre puis lui dit : « Au revoir, mon beau, il faut que je te quitte. »

Il s'immobilisa sur le seuil, perplexe, et descendit au rez-de-chaussée, où il passa en revue portes et fenêtres : elles étaient toutes bien fermées. Il se demandait par où l'animal était entré. Pour sûr, il n'avait pas été enfermé ces derniers jours : il était en parfaite santé, il y avait donc une ouverture quelque part.

Il était maintenant 21 h 10, ses invités l'attendaient certainement à table. Il s'apprêtait à repartir quand il vit le chat venir vers lui et se diriger vers la cuisine. Intrigué, il le suivit. L'animal alla tout droit à la porte-fenêtre comme s'il voulait lui assener un coup de tête mais, dès que son crâne toucha le bois, un guichet s'ouvrit comme par magie et l'engloutit. Bordelli se pencha et découvrit une chatière qui masquait l'ouverture en position de repos. Elle basculait de l'extérieur et de l'intérieur comme les portes des saloons. Un système pour le moins ingénieux. Mais l'heure tournait, le moment était venu d'abandonner sa casquette de policier et de filer. Il quitta la villa et redescendit en ville à toute allure. Dix minutes plus tard, il glissait les clefs dans la serrure de son appartement.

« Commissaire, nous avions dit 21 heures ! » s'exclama Ennio, blessé.

Bordelli posa une main sur son épaule. « Je regrette. Tout le monde est là ?

– Il ne manquait plus que vous. J'ai déjà servi un peu de vin.

– Bravo, Ennio.

– Qui est le type en blouse d'infirmier ?

– Dante, sans doute. Un inventeur qui dresse les rats.

– Les rats ?

– Il les appelle par leur nom, tu devrais voir ça. »

Lancée dans un solo de baryton, la voix puissante de Dante s'échappait de la salle de séjour. Botta eut un geste d'impatience. « Allez-y, commissaire, les hors-d'œuvre seront sur la table dans une minute.

– Chouette. »

Bordelli franchit le seuil. Vêtu de son habituelle blouse tachée, l'inventeur agitait un verre vide. Ses étranges cheveux blancs brillaient à la lumière de la lune.

« ... quiconque considère le monde dans son ensemble y voit des aspects insupportables, indignes de la plus simple communauté animale... n'est-ce pas, commissaire ?

– Je suis d'accord. »

Bordelli pria l'assemblée d'excuser son retard en rejetant la faute sur des engagements urgents. Les invités se levèrent pour lui serrer la main, à l'exception de Diotivede qui se contenta de lui adresser un signe.

« Mais non, ne vous levez pas, protesta le maître de maison en se précipitant vers la table. Salut, Piras. Mettez-vous à votre aise. Comment allez-vous, docteur Fabiani ? »

Ému, Canapini l'attira dans un coin. « Merci, commissaire... je... je...

– Canapini, je ne veux rien entendre, répliqua Bordelli en posant une main sur le cou de l'homme et en le secouant gentiment. Les fleurs de Rosa ?

– Tout va bien.

– Bravo. Et maintenant, empiffrons-nous comme il se doit.

– Merci, m'sieur l'commissaire, merci. »

Ils prirent place. Dante poursuivit le récit qu'il avait interrompu. « Si vous y pensez bien, l'immense majorité de l'humanité a toujours travaillé pour le bien d'une minorité. Un énorme mécanisme qui ferraille pour amuser plusieurs milliers d'individus. Il y a quelque chose qui cloche. Prenez un train : un seul moteur transporte mille personnes. Et maintenant essayez de renverser le mécanisme : un train doté de mille moteurs pour transporter un seul homme. Une folie. Alors comment se fait-il que tout cela perdure imperturbablement ? lança-t-il à Canapini, qui semblait ne pas comprendre les concepts, mais en saisir le sens d'instinct. Je n'ai jamais trouvé de réponse satisfaisante. »

C'est alors que Botta se présenta avec deux plateaux dignes des Mille et Une Nuits, qu'il posa au milieu de la table.

« Bienvenue à Istanbul. J'ai oublié le nom turc de ce plat, mais je vous dirai ensuite ce qu'il contient », annonça-t-il en désignant sept coupoles noirâtres à l'apparence dure comme du béton, ornées de feuilles de salade. Sur l'autre plateau se trouvait un flan tout blanc et tremblant, orné de minuscules boules rouges et entouré de fines tranches de carotte crue. Ennio commença à servir.

« Naturellement, ce ne sont pas exactement les mêmes ingrédients, car ils n'existent pas ici, mais l'effet est identique. Versez-vous immédiatement du vin, car c'est très fort. » Les coupoles sombres étaient crémeuses, veloutées, incroyablement bonnes et surtout très pimentées. Également pimenté, le flan avait un goût de fromage et d'oignon. Les trois premières bouteilles de chianti se vidèrent en l'espace de quelques minutes.

Ennio déclara que ce vin était également adapté à la cuisine turque : « On dirait qu'il est fabriqué tout exprès. Puis il donna un coup de coude amical à Canapini qui perdait peu à peu son air triste. Dante proposa un toast en l'honneur du cuisinier et les verres tintèrent un moment. Botta rougissait sous les compliments. Il enleva les assiettes et courut chercher la suite à la cuisine, d'où il revint armé d'une marmite.

« Ce plat n'a rien à voir avec la Turquie. C'est le docteur Diotivede qui l'a réclamé. Une soupe lombarde. » Le médecin écarta les mains et pria les convives d'excuser ce détour. Botta tendit une corbeille de pain grillé, puis servit la soupe en fournissant des explications précises sur l'huile et le parmesan. Piras goûta non sans méfiance cette eau transparente dans laquelle voguaient de petits haricots jaunes, mais la première cuillerée le remplit d'enthousiasme. Diotivede affirma qu'elle était parfaite.

Tout le monde se resservit, y compris Canapini qui tenait sa cuillère comme un tournevis. Diotivede réclama une troisième assiette, ralentissant le rythme du repas. «Excusez-moi, mais cela faisait des années que j'en rêvais.»

Le plat suivant ramena tout le monde en Turquie. Il s'agissait d'un sauté de veau à la sauce piquante. Quatre bouteilles supplémentaires furent débouchées, et il ne resta bientôt plus, dans la marmite, que l'auréole de la cuisson. Vint ensuite le dessert, également turc.

Botta avait choisi de l'arroser de vin de paille de Pantelleria, dont il apporta trois bouteilles. «Pantelleria est plus ou moins à la hauteur de la Turquie, n'est-ce pas?» dit-il en effectuant un geste horizontal de la main. Il servit dans des tasses une crème ambrée, sucrée et vaporeuse qui sentait la rose. Elle fondait dans la bouche en révélant mille saveurs. Personne n'avait jamais expérimenté rien de pareil, et elle disparut en l'espace de quelques minutes. Bordelli proposa alors de porter un nouveau toast en l'honneur de Botta, puis il se tourna vers Piras.

«Tu n'as pas oublié d'apporter les gâteaux sardes?

– Bien sûr que non, monsieur, ils sont à la cuisine.» Il se leva pour aller les chercher, mais Botta le repoussa sur sa chaise.

«J'y vais», dit-il. Il réapparut avec un carton qu'il vida sur la table. Bordelli put ainsi voir de ses propres yeux ce que Gavino lui avait décrit mille fois, près de vingt ans plus tôt: des petits gâteaux rhomboïdaux recouverts de vermicelles colorés. Ennio était le seul à les connaître, il savait même les confectionner.

« J'ai appris à l'Asinara[1], je les fais comme un vrai Sarde. »
C'est ainsi que le voyage en Turquie s'acheva en Sardaigne.
Le dîner était de plus en plus bruyant. Après le vin de paille
apparurent des grappas, trois bouteilles, une blanche, une à
la rue, une au genièvre, toutes dépourvues d'étiquette.

« Tout ça est illégal, Ennio, remarqua Bordelli. Où diable
les as-tu trouvées ?

– Chez Bolla, commissaire. Il vous salue bien. »

Bordelli se versa un verre de celle au genièvre. Le café
arriva, et les fumeurs s'activèrent. Fabiani et Diotivede ne
fumaient pas, mais remplissaient sans cesse leur verre.
Piras recula sa chaise et regarda ces couillons respirer de la
fumée, et non de l'air. Assis à côté de lui, Dante alluma un
cigare aussi épais qu'une saucisse et souffla entre ses dents
jaunes de grands ronds denses. Notant l'inquiétude du
Sarde, le commissaire alla ouvrir également l'autre fenêtre.
Un souffle chaud pénétra dans la pièce, et la fumée se dis-
sipa peu à peu.

Dante entreprit alors de relater l'enterrement de Rebecca.
Les autres convives se turent, y compris Fabiani, Canapini
et Botta, qui ignoraient tout de cette histoire...

La basilique de Santa Croce semblait encore plus vaste
que d'habitude car elle était presque vide. Les frères
Morozzi et leurs épouses se tenaient immobiles devant
le cercueil, dans leurs tenues de deuil, minuscules sous le
regard du Christ et des saints. Maria pleurnichait dans un
coin, en partie dissimulée par le monument funèbre d'un

---

1. Prison de haute sécurité située en Sardaigne.

illustre poète, laissant échapper de temps en temps un sanglot aigu qui retentissait dans toute l'église. Sur un banc, trois veuves, amies de Rebecca, avaient rendu son salut à Dante, qui les connaissait, avant de reprendre le fil de leur conversation dans des secouements de tête. Il y avait aussi, éparpillées, six ou sept vieilles dames à genoux, les mains jointes, les mâchoires tremblant sous l'effet des prières et de la maladie de Parkinson, venues non pour la défunte, mais pour la messe. Enfin, au dernier banc, un beau et grand sexagénaire transpirait et peut-être pleurait, les yeux fixés sur le cercueil. Il partit peu avant l'*Ite missa est* en se signant à la hâte.

« Je suis sûr que c'était l'amant de ma sœur », déclara Dante.

Le curé, un petit homme replet et sympathique à l'accent romagnol, avait consacré son homélie à la sérénité de l'âme immortelle et à la résurrection de la chair. Dante avait tenté d'approfondir la question tandis qu'il avançait vers le maître-autel, mais le prêtre s'était exclamé en lui jetant un regard torve : « Ça alors ! Ce n'est pas le moment, bon sang de bonsoir ! »

Dante avait répondu par des excuses, hurlant qu'il était distrait et que ce genre de chose arrivait. Emporté par ses pensées sur l'immortalité, il avait failli allumer un cigare.

Après la messe, on avait transporté au cimetière le cercueil, qu'on avait enterré dans le caveau familial, une construction néogothique du XIXᵉ siècle bourrée de fioritures. Les maçons, qui attendaient déjà avec briques et ciment frais, avaient mis dix minutes pour mener à bien leur besogne. Les frères Morozzi se tenaient devant la chapelle, l'air désorienté, sous l'œil dégoûté de Maria. À la fin de la cérémonie, Dante avait serré leurs mains, qu'il avait trouvées comme d'habitude molles et moites, aussi fuyantes que des poissons. Derrière leurs grandes lunettes noires, leurs femmes apparemment chagrinées marmonnaient :

« La pauvre !

– Quel malheur !

– Pauvre tante Rebecca, si jeune... »

Dante avait éclaté de rire en pensant au testament. Il avait fini par allumer son cigare et, après avoir donné un dernier baiser à Maria, était rentré chez lui. Enfoncé dans son fauteuil, il avait pleuré à la première gorgée de grappa.

« Mais ce n'est pas intéressant. Voulez-vous que je vous parle du testament ? »

Les convives acquiescèrent. Bouteilles et cigarettes circulèrent, puis Dante glissa son cigare entre ses dents pour avoir les mains libres, car il aimait dessiner dans l'air ce qu'il décrivait.

« Bon. Imaginez une belle pièce revêtue de bibliothèques en bois sombre remplies de livres épais aux dos gravés en or, Plutarque, Hérodote, le droit romain, les annuaires de l'Ordre des notaires, l'histoire d'Italie, une bible, ainsi que de grands vases orientaux, une pendule sous un globe en verre, des sculptures en bronze, une femme nue, un Indien à cheval... un grand lustre à gouttes de cristal, un tapis persan très raffiné et un énorme bureau totalement nu. Tout cela dans la pénombre, car les volets des trois grosses fenêtres alignées sur le même mur étaient clos. La secrétaire nous a priés de nous asseoir sur les cinq chaises qui nous étaient destinées, a dit avec un sourire froid : « M. Balatri va arriver, il vous prie de l'excuser pour la faible lumière, il vient d'être opéré », puis est repartie dans un claquement de talons. Nous avons attendu en silence pendant dix bonnes minutes. J'avais envie de rire, mais j'ai réussi à me retenir. Enfin le notaire, un homme minuscule, aux yeux protégés par des lunettes foncées, a fait son entrée. Il s'est assis et nous a dit : "Mes condoléances." Il avait une drôle de voix, nasale, mais j'étais le seul à la trouver amusante car je savais comment les choses allaient tourner. »

Dante savoura une bouffée avant de poursuivre.

« Le notaire a ouvert un tiroir et y a puisé une enveloppe, qu'il a ouverte à l'aide d'un coupe-papier. Il nous a jeté un coup d'œil pour s'assurer que nous étions prêts et a entrepris de lire la feuille qu'elle contenait. *Je soussignée Rebecca Pedretti Strassen, en pleine possession de mes moyens, lègue tous mes biens, villa et tableaux compris...* Il a alors toussé dans son poing et s'est raclé la gorge, tandis que mes neveux se penchaient en avant, puis a continué : ... *villa et tableaux compris au couvent de Monte Frassineto, à l'exception de...* Balbutiements et frottements de chaussures sur le parquet se sont élevés. Giulio se rongeait les ongles jusqu'au sang. Le notaire a réclamé le silence : "Je vous en prie, laissez-moi terminer, il y a plusieurs exceptions", et a poursuivi : ... *à l'exception de : un tableau à ciel violet, que je lègue à mon frère Dante en lui souhaitant une vie heureuse ; une somme de trois millions de lires, que je lègue à Maria en la saluant affectueusement ; quatre photographies ci-jointes que j'offre de tout mon cœur à mes neveux adorés et à leurs douces moitiés afin qu'elles entretiennent le souvenir de leur chère tante Rebecca...* Voici les photos." Ils ont tous quatre tendu la main. C'était un portrait de ma sœur debout devant la villa. Quatre exemplaires, un par tête de pipe, pour ne pas faire de jaloux. » Dante éclata de rire et ralluma son cigare, sur lequel il tira plusieurs fois après avoir avalé une gorgée de grappa.

« Ça a été l'apocalypse. Mes neveux étaient au bord des larmes, leurs femmes se sont remises à crier et à abattre la main sur le bureau. Gina s'est levée, a fait un pas et s'est effondrée sur le tapis. Le notaire était si impressionné que ses mains tremblaient. Il a appelé sa secrétaire qu'il a priée de téléphoner à une ambulance. Mais Gina avait déjà repris conscience, elle bourrait de coups de poing son mari, venu à son secours, qui répétait : "Chérie, ne me frappe pas." Alors le notaire a renvoyé sa secrétaire et s'est exclamé : "Un peu d'attention, s'il vous plaît, il y a un post-scriptum... Comment vous sentez-vous, madame ? Pouvez-vous vous relever ?" Gina a fondu en pleurs et s'est allongée sur le tapis, comme une fillette capricieuse, en lançant ses chaussures en l'air. Angela se mordait le doigt et gémissait. Le notaire, qui brûlait de terminer, les a ignorées et, haussant le ton pour couvrir les plaintes a dit : *Post-scriptum : chers Anselmo et Giulio, chères Gina et Angela, je vous attends avec impatience...* Je vous en prie ! Encore un instant... *Cher Dante, prends soin de Gedeone, je te le confie comme un fils, puisque je n'en ai pas...* etc. Suivaient des instructions concernant Gedeone et des paroles affectueuses pour moi, des éloges... bref, des affaires privées.

– Qui donc est Gedeone ? demanda Bordelli.

– Gedeone ? C'est le chat.

– Ah ! je l'ai vu ! Un beau chat blanc.

– Je l'ignore, je ne le connais pas. »

Botta déclara que ce prénom convenait parfaitement à un chat, puis demanda l'autorisation de raconter à son tour une histoire. L'ayant obtenue, il commença :

« J'aimerais parler des Allemands. Les nazis ont commis des tas d'horreurs, ne croyez pas que je pense du bien d'eux, mais j'ai vécu un épisode qui... bref, qui m'a marqué. Écoutez... En 1945, j'étais prisonnier, dans le Nord, avec une soixantaine d'autres Italiens. Les Allemands nous faisaient creuser des fosses, couper du bois, et nous traitaient comme des esclaves. Ils ne nous donnaient pas grand-chose à manger et, quand l'un de nous se plaignait, nous bourraient de coups dans le meilleur des cas. Un jour, il y a eu un bombardement américain. On aurait dit la fin du monde. Une bombe a détruit l'enceinte du camp. Aussitôt, nous avons pris nos jambes à notre cou, chacun pour soi et à la grâce de Dieu, au milieu des balles. J'ai couru à toute allure en respirant à pleins poumons comme si l'air même était la liberté. J'avais atteint le fond d'une ruelle et je me sentais déjà en sécurité quand un nazi a surgi d'un buisson, une mitraillette au poing. Une véritable armoire à glace, un type terrifiant. Ses cheveux blonds presque tondus scintillaient sur son crâne. Dans ma course, j'avais failli le heurter et je n'avais plus de souffle. J'étais persuadé que c'en était fait de moi. Une rafale, et bien le bonsoir. Mais au lieu de ça, l'Allemand a souri et m'a dit : "Tu rentres chez ta mère, hein ?" J'ai hoché la tête, incapable de prononcer un mot. Alors il s'est écarté et m'a laissé passer. Je ne me le suis pas fait répéter. J'ai filé comme une fusée. À un moment donné, je me suis retourné et je l'ai vu qui agitait la main vers moi comme un ami. Bref, cet épisode m'a marqué, parce que si, cet Allemand s'était conduit comme les autres, je ne serais pas ici aujourd'hui... Quelques mois plus tard, il m'est arrivé...

– Cher Botta, l'interrompit Bordelli, ton récit est joli, presque émouvant, mais pour chaque récit de ce genre, je pourrais t'en citer mille autres bien différents. Si vous êtes tous d'accord, je vais vous en donner un exemple très bref. »

En l'absence d'objection, il alluma une cigarette et pria Diotivede de remplir son verre. « Bien, cette histoire m'a été racontée par un ami retrouvé après la guerre, le lieutenant de vaisseau Binismaghi. On pourrait donc penser qu'elle se termine bien, ce qui n'est pas le cas. Son bateau était tombé aux mains de la marine allemande. Comme le prévoyait la convention de Genève, ses occupants avaient été escortés dans le port occupé, où on leur avait fourni des cellules confortables et de la nourriture en abondance. Mais, quelques semaines plus tard, les SS intervinrent sur l'ordre de Berlin. Ils décidèrent d'interroger tous les officiers. Le lieutenant Binismaghi fut accompagné dans le bureau d'un gradé nazi, aménagé dans une salle de réunion de la mairie du village. Un grand bureau lumineux, très propre, orné du portrait du Führer et de drapeaux à croix gammée. L'Allemand cachait derrière ses montures de lunettes rondes et fines les yeux bleus d'un prince charmant, il était élégant et très jeune : un peu plus de vingt ans. Mon ami, qui en avait le double, n'appréciait guère qu'un morveux le mette sur la sellette. Mais c'était la guerre. Il se limita à fournir son nom, son prénom, son numéro de matricule et à confirmer sa fidélité au roi. Le nazi ne s'en formalisa pas, il se mit même à parler de tout et de rien dans un bon italien. Il demanda à Binismaghi de décrire sa ville natale, ses spécialités et ses femmes. Il l'écoutait avec attention, il semblait le trouver sympathique. Enfin, il le remercia de cette agréable conversation et lui serra la main. Après lui avoir rendu son sourire, Binismaghi se retourna pour gagner la sortie. Mais il ne parvint pas à l'atteindre : le prince charmant lui tira une balle dans la nuque à deux mètres de distance. Il se réveilla quelques heures plus tard sous les cadavres de ses camarades. La balle avait pénétré à la base de son crâne et était ressortie par la bouche sans toucher son cerveau. Le croyant mort, les Allemands l'avaient jeté dans une fosse avec les autres. Et comme personne ne prêtait attention aux morts, il réussit à s'enfuir. Tu vois, Botta, cette histoire aussi se termine bien, mais grâce à la chance, pas à un nazi. »

Botta leva les mains comme pour se défendre d'une accusation. « Je vous avais prévenus, je ne voulais pas parler en bien des nazis. Je disais juste qu'ils ne sont pas tous semblables. » Il voulut passer à une autre histoire, non sans servir à tous une dernière cuillerée de dessert. Les convives acceptèrent, certains reprirent même des papassinos. Alors, il raconta :

« Quelques mois plus tard, je me suis retrouvé face à face avec un autre Allemand. Il était désarmé et portait un uniforme déchiré. Il m'a avoué qu'il avait déserté et prétendu qu'il n'avait jamais tiré sur personne. Il ne cessait de répéter "Italiens amis". Il voulait que je l'aide à franchir le front pour qu'il puisse rentrer chez lui. J'hésitais à le croire, puis j'ai pensé à l'Allemand qui m'avait épargné, et j'ai décidé de lui donner un coup de main. Nous avons passé la nuit dans un fenil abandonné. Le front était situé à quelques kilomètres de là, et l'on entendait le vacarme de l'artillerie lourde. Nous nous sommes allongés côte à côte sous une couverture. Au milieu de la nuit, des coups de mortier ont retenti. À chaque explosion, l'Allemand s'accrochait à mon bras et le serrait, le serrait, en bredouillant dans sa langue. Le bombardement s'éternisait et le matin, à mon réveil, j'avais le bras couvert de bleus. Nous nous sommes levés et je l'ai aidé à travers champs à franchir le front. Mon histoire s'arrête là. C'était un Allemand mais, chaque fois que j'y repense, je me dis que j'ai bien fait. Et vous, qu'en dites-vous ? »

Dante abattit sa grande main sur son dos, l'écrasant sur sa chaise. « Tu as très bien fait. Un homme te sauve, tu en sauves un autre, et cet autre en sauve un troisième. Les actions des hommes sont unies comme les maillons d'une chaîne, qu'elles soient belles ou laides. Il faudrait ne jamais l'oublier : faire le mal n'est pas seulement faire le mal, c'est aussi le transmettre. » Canapini se rembrunit et acquiesça avec solennité. Il avait beaucoup bu et il remâchait à l'évidence des pensées importantes. Soudain il leva un doigt et dit :

« Oui, mais quelle est la différence entre le bien et le mal ? Si un homme vole parce qu'il a faim, est-ce bien ou mal ? Si un policier le surprend la main dans le sac et, au lieu de l'arrêter, lui donne de l'argent, est-ce à tort ou à raison ?

– Le bien, c'est tout ce qui place la vie au-dessus du reste, expliqua Fabiani en le regardant avec tendresse. Le mal, c'est tout ce qui contredit cette assertion.

– Assertion. Qu'est-ce que ça veut dire, m'sieur l'commissaire ? »

Bordelli s'apprêtait à répondre, mais Botta, qui avait fait des études dans sa jeunesse, lui vola la parole.

« Ça veut dire proposition, exposé, affirmation... bref, un truc qu'on dit.

– Alors on a raison de voler parce qu'on a faim. Sinon, on crève !

– Bien sûr », dit Fabiani avec un sourire.

Le médecin, qui n'avait pas l'habitude de fumer, réclama une cigarette, que Bordelli alluma. Puis il examina les innombrables miettes qui parsemaient la nappe avant de commencer :

« C'est peut-être un épisode stupide, mais, pour une raison que j'ignore, il s'est ancré dans ma mémoire. C'était il y a au moins cinquante ans, vers 1914. J'avais près de vingt ans et j'étais fiancée à une jolie fille d'origine grecque. En fermant les yeux, je peux encore la revoir : elle avait de longs cheveux noirs et un grain de beauté ici, à côté de la lèvre. Elle s'appelait Simonetta. Nous étions très amoureux, mais nous nous disputions souvent, surtout pour des bêtises, chacun voulant toujours avoir le dernier mot. Ce jour-là, nous nous promenions sur le trottoir, à un mètre l'un de l'autre, en pestant. À un moment donné, j'ai prononcé une phrase très méchante. Alors elle s'est jetée sur moi, elle criait et me donnait des coups de pied dans les tibias. Elle m'a même griffé la joue jusqu'au sang. De rage, je lui ai tordu les poignets. Mais soudain, j'ai senti qu'on me saisissait le bras. Je me suis retourné, furieux. Un vieux clochard, sale et nauséabond, se tenait devant moi. À en juger par ses yeux désespérés, il essayait en vain de nous dire quelque chose. Il avait l'haleine pestilentielle des alcooliques et le visage couperosé. Il voulait nous séparer. J'ai pensé qu'il était malade ou fou. Simonetta, calmée, l'observait avec un certain dégoût. Au bout d'un moment, il s'est mis à secouer la tête et a dit : "Non ! Non ! *S'il vous plaît... il ne faut pas... pas que**[1] vous vous battiez ! *Regardez-vous**..." Je me rappelle encore son visage, il avait la bouche édentée et ses pommettes grises prouvaient qu'il ne s'était pas lavé depuis des mois, "*embrassez-vous, s'il vous plaît**, si vous vous aimez ou pas*, peu importe, peu importe, embrassez-vous s'il vous plaît**". Au même moment un type en uniforme s'est approché, a dit au vieillard d'arrêter de nous ennuyer, l'a pris par le col et l'a repoussé. Tout en s'éloignant, le vieux répétait "*embrassez-vous, embrassez-vous**". Alors je me suis jeté dans les bras de Simonetta, qui a fondu en larmes. Voilà. C'est la première fois que je raconte cette histoire. Cet homme ne nous connaissait pas, il était peut-être fou, mais il avait eu la liberté de dire ce qu'il éprouvait. Par la suite, chaque fois que nous nous disputions, l'un de nous prononçait les mots *embrassez-vous s'il vous plaît**, et cela se terminait par des rires. »

Dante tira sur son cigare et passa une main dans ses cheveux. « L'homme est merveilleux. Je suis certain que Dieu s'en étonne parfois », dit-il dans un rire. Botta, qui était sentimental, s'enquit de la belle Grecque. Avec un sourire amer, le médecin répondit :

---

1. En français dans le texte, comme tous les mots ou expressions en italique suivis d'un astérisque.

« La guerre a éclaté l'année suivante et je suis parti pour le front. À mon retour, elle s'était fiancée avec un autre. Elle était très belle, Simonetta. »

Le silence s'abattit sur la pièce. Chaque convive semblait penser à de vieilles amours perdues. Les yeux rougis par l'alcool, Piras, débordant d'énergie, rapprocha sa chaise et s'accouda à la table.

« À la limite de mon village, Bonarcado, se trouve une grande pierre grise de deux mètres de haut, près d'un ruisseau. Elle a au centre une sorte de siège qu'on croirait creusé par une main humaine. Les anciens disent qu'il y a très longtemps un homme et une femme tombèrent amoureux l'un de l'autre. Ils s'aimaient en cachette car leurs familles se haïssaient depuis de nombreuses années, à cause d'un litige de frontière. Bref, l'histoire habituelle de Roméo et Juliette. Ils se donnaient rendez-vous la nuit à la pierre grise, qu'ils appelaient "notre rocher", et se quittaient le matin, repus et heureux. Bref, un grand amour, un de ces amours qui peuvent durer toute la vie. C'est, de fait, ce qu'ils imaginaient : vivre ensemble toute leur vie. Mais un jour, l'homme décida de s'enrôler dans l'armée napoléonienne qui venait apporter la révolution en Europe. Il prétendit qu'il n'aurait pu être heureux autrement, que l'amour ne doit pas rendre égoïste, mais donner la force d'accomplir des actes importants. Sans son amour, il n'aurait pas le courage de partir et, sans ce départ, il aurait le sentiment d'être un lâche. Tel était le prix pour atteindre le bonheur. Il rêvait de libérer le monde des tyrans et il promit de rentrer très vite en vainqueur. "Attends-moi à notre rocher, attends-moi là, je reviendrai vite." La jeune fille ravala ses larmes, l'étreignit et l'embrassa pour qu'il parte serein. Elle regarda le bateau s'éloigner jusqu'à ce qu'il disparaisse à l'horizon et, dès le lendemain, alla l'attendre à la pierre grise. Elle s'y adossait en pensant à son visage, à ses baisers, aux nombreuses fois où ils s'étaient aimés en ces lieux. Ce rocher était le symbole de leur amour passé. Plusieurs mois s'écoulèrent. Sans nouvelles, la jeune femme était de plus en plus lasse et désespérée, elle ne dormait presque plus et mangeait uniquement dans le but d'être présentable le jour de son retour. La nuit, elle quittait sa maison et allait s'adosser contre le grand rocher, devant le ruisseau. Elle regardait l'eau couler rapidement et pensait au temps qui, au contraire, ne passait pas. Au bout d'un an, elle imagina que son bien-aimé était mort, mais ne put se résigner à cette idée. Elle décida donc de faire un vœu. Elle pria à genoux devant une image de la Vierge, tandis que des gamins se moquaient d'elle, "Sainte Vierge, sauve mon amour, demande-moi n'importe quoi, parle-moi". La Vierge ne parla pas, mais la jeune femme crut comprendre comment il convenait de se conduire. Elle jura qu'elle ne bougerait plus de cet endroit tant que son amant ne serait pas rentré. Elle vivrait debout, contre la pierre grise. Elle pria la Vierge de la punir en cas d'échec : "Si je m'écarte de notre rocher, fais que je meure noyée dans le ruisseau, fais que je meure." Puis elle se persuada que son amant mourrait à l'instant même où elle quitterait le rocher, transpercé par une balle de plomb. C'était l'hiver et elle emporta une couverture. Une semaine s'écoula. Les villageois pensaient qu'elle avait perdu la tête, mais lui apportaient de quoi boire et manger. Elle les remerciait en hochant la tête, elle ne parlait presque plus. Le sommeil lui troublait la vue, mais elle lui résistait, craignant de tomber. Au bout de trois semaines, elle comprit que son projet était voué à l'échec. Elle avait péché par superbe, tôt ou tard elle s'effondrerait et son bien-aimé mourrait. Elle demanda qu'on l'attache au rocher. Personne n'accepta. Sa mère et le curé tentèrent de la convaincre. Elle refusait et répétait calmement qu'elle se jetterait dans le ruisseau si l'on tentait de l'emmener. Les villageois finirent par renoncer. Une nuit, elle sentit qu'elle s'évanouissait, elle eut juste le temps de dire "mon amour, pardonne-moi" avant de perdre conscience. »

Piras s'interrompit pour se verser un peu de grappa. Personne dans l'assistance ne pipait. Lové sur sa chaise comme un chat, Canapini brûlait d'impatience : « Alors ? dit-il.

– Lorsqu'elle se réveilla, elle essaya de ramper vers le ruisseau pour s'y noyer. Mais au lieu de trouver la terre sous ses doigts, elle trouva de l'air. Alors elle ouvrit les yeux et découvrit le ciel étoilé. Elle n'était pas tombée. La pierre s'était ouverte et avait formé un siège confortable à l'abri du vent. Elle put ainsi attendre son bien-aimé, qui revint en mauvais état, mais bien vivant et entier. Ceci est une légende, mais les anciens la relatent comme si c'était une histoire vraie.

– C'est beau », commenta Canapini.

Dante leva son verre et porta un toast aux femmes, à toutes les femmes, celles qui attendent et celles qui partent. « Aux femmes, qui sont le sel du monde. » Sept verres de grappa furent brandis.

Quand il se réveilla, le lendemain matin, Bordelli avait le dos des mains dévoré par les moustiques et un prénom dans la tête, Simonetta. Il avait connu, lui aussi, une Simonetta. Immobile dans le noir, il tenta de revoir le visage auquel ce prénom correspondait. En vain. Il l'avait rencontrée en 1935, elle était la fille unique d'un noble romain qui possédait des demeures et des terres un peu partout. Leur dernière rencontre avait eu lieu chez les parents de la jeune fille, dans une villa au bord de la mer. Un bel été fasciste. Il y avait là de nombreux invités, des membres de la famille pour la plupart, des gens importants. Il s'était présenté en maillot de bain, ce qui était apparu comme une extravagance. La mère de Simonetta avait voulu qu'il s'asseye à côté d'elle. Elle n'avait pas cessé de louer sa beauté et de lui caresser le bras. Au milieu du repos, elle s'était mise à faire des projets pour les fiancés, décrivant leur future demeure et leur future vie. Il avait attendu qu'elle se taise puis s'était levé.

« Je crois que j'ai d'autres projets », avait-il dit. Après avoir gentiment salué les invités, il était reparti. Il n'avait plus revu Simonetta. S'il l'avait épousée, il serait devenu un riche propriétaire terrien, un fainéant, père d'enfants respectés dans la haute société. Il n'aurait pas connu la naïveté de Rosa, la vieille prostituée, ni la cuisine de Botta apprise en prison, il n'aurait jamais rencontré le vieil et amer Diotivede. Sa vie aurait été complètement différente et, à l'heure qu'il était, il se promènerait peut-être dans son parc en pensant que, s'il ne s'était pas marié avec Simonetta, il aurait été un autre homme, par exemple un policier, un commissaire recevant à dîner des voleurs qui lui apprenaient à crocheter une serrure et se consolant auprès d'une ancienne putain au cœur d'or.

Il avait encore au fond de la gorge l'odeur douceâtre de la grappa. Il remua la tête et sentit un élancement monter de sa nuque à son crâne comme une roue dentée. Il respira profondément. Il avait trop fumé, ses poumons le brûlaient. Il jura qu'il se contenterait de trois ou quatre cigarettes, tout au plus cinq, au cours de la journée. Attrapant le paquet sur sa table de nuit, il le jeta dans la pièce avec rage, puis il se mit à contempler le plafond. Botta n'allait pas tarder à arriver pour faire la vaisselle et ranger la cuisine. Tel était leur accord : il fournissait l'argent, et Botta la main-d'œuvre. Il écrasa un moustique, tachant le mur de sang.

Un bruit de pas retentit dans l'entrée.

« C'est toi, Ennio ? »

Les pas se rapprochèrent et la porte de sa chambre s'entrouvrit. La tête léonine de Dante apparut dans l'entrebâillement.

« Bonjour, commissaire. Et si nous prenions un café ? » proposa-t-il, tout gai.

Alors Bordelli se rappela qu'il l'avait invité à passer la nuit sur son canapé. « Commencez, je vous rejoins tout de suite.

– Bien dormi ?

– Bien. Et vous ?

– De merveilleux cauchemars !

– La cafetière napolitaine doit être dans l'évier. Savez-vous l'utiliser ? »

Dante le rassura avant de se diriger vers la cuisine. Le commissaire lui emboîta le pas, pieds nus, giflant le carrelage avec moins de finesse qu'Elvira, la belle et jeune Elvira... Il n'arrivait pas à l'oublier, elle s'insinuait dans son esprit aux moments les plus insensés, lui donnant chaque fois l'impression d'être plus vieux et plus lourd. Il pissa non sans effort et douloureusement – un souvenir de l'alcool —, puis passa les mains dans ses cheveux et se lava la figure. Le contact de l'eau froide sur sa peau lui fit du bien, contrairement à la serviette trop rêche. Appuyé au lavabo, il contempla ses rides dans le miroir tout en pensant au corps de Mme Pedretti, à ses mains recroquevillées sur sa gorge. Idées embrouillées et questions se multipliaient dans sa tête après la pause nocturne – une en particulier : comment s'y sont-ils pris ? Il revit les frères Morozzi, en nage et hystériques, il revit leurs femmes blondes et maquillées qui avaient laissé dans son bureau une odeur nauséabonde.

Bon sang, comment s'y sont-ils pris ? Qui, des quatre, a agi ? Un seul ou les deux ? Les frères ou les femmes ? Un des deux couples ? Ou aucun ? Et si son hypothèse était erronée ? Alors tout serait à repenser...

Il rejoignit Dante à la cuisine. L'inventeur essayait de monter la cafetière napolitaine à l'envers.

« Quel engin bizarre...

– Donnez-moi ça.

– J'y arrivais, vous savez.

– Vous voyez ? Ça fonctionne comme ça.

– C'est ce que j'avais pensé, mais ça me semblait trop banal.

– Tout le monde n'a pas votre imagination.

– J'accepte ce compliment, je suis très vaniteux. »

Ennio arriva, et ils gagnèrent tous trois la salle à manger. Ils posèrent leurs tasses sur la nappe de la veille, couverte de taches exotiques et de miettes. Une odeur d'épices et d'alcool flottait encore dans l'air. Botta s'apprêtait à ouvrir les volets quand le commissaire leva la main.

« Juste les vitres, Ennio. Ce matin, la lumière me gêne un peu.

– Comme vous voulez. »

La température augmentait de minute en minute. Encore une fois, une journée torride et moite s'annonçait. Dante alluma son cigare pestilentiel et jeta l'allumette dans sa tasse vide. Bordelli se retint pour ne pas fumer à son tour.

« J'aimerais vous poser une devinette, vous êtes d'accord ? dit-il.

– Quel genre de devinette ? » demanda Botta, amusé.

Dante alla s'asseoir dans un fauteuil et étira les jambes. Le commissaire avala la dernière goutte de café et, tout en jouant avec sa tasse, commença :

« Imaginez que vous vouliez empoisonner quelqu'un avec une poudre, une substance assez puissante pour tuer quiconque la respire. Mais comme vous n'avez pas envie d'être arrêté, vous devez faire en sorte de vous trouver à de nombreux kilomètres de votre victime au moment où elle la reniflera. Comment vous y prenez-vous ?

– Je verse le poison dans son potage à réchauffer ou le mélange à son dentifrice, hasarda Botta.

– Le poison ne tue qu'une fois respiré.

– Ah oui. Dans ce cas... Bof ! Non, je ne sais pas, je me rends.

« – Et vous, Dante ? Comment un inventeur s'y prendrait-il ?

– Très simple. Il utiliserait un mécanisme de retardement.

– Facile à dire. Mais à faire ?

– Oh ! ce n'est pas compliqué. On peut le fabriquer chez soi en un rien de temps.

– Donnez-moi un exemple.

– Très simple. Je prends une éprouvette, j'y introduis trois haricots secs, la remplis d'eau à moitié, joins deux petits disques de liège reliés par un axe central et le fourre à moitié dans l'éprouvette. J'ajoute la poudre, puis je pousse le tout jusqu'à ce que le second disque bouche l'éprouvette. Je fixe le dispositif sur le lustre, au-dessus du lit de la victime, en position horizontale, et vais tranquillement me promener. Sous l'effet de l'eau, les haricots secs gonfleront lentement, feront pression sur le bouchon, et le poison pleuvra sur le nez de la victime.

– Et si la police trouve des traces de l'engin ?

– Il suffit de bien le cacher et de retourner le chercher dès que possible. »

Bordelli soupira. « C'est vrai, mais un tel objet n'est pas facile à placer, et il n'est guère précis.

– Alors on pourrait mettre au point un autre système, par exemple une petite pompe dissimulée dans l'interrupteur de la lampe de chevet. Quand on l'allume... Ou alors un mécanisme à base d'élastiques qui, après l'expulsion du poison, projette le tout par la fenêtre.

– Non, c'est trop compliqué et cela peut laisser des traces. Quand on commet un assassinat, on ne laisse rien au hasard. »

Botta, qui ôtait les tasses, déclara : « Nous capitulons, commissaire, donnez-nous la solution.

– Si je la connaissais...

– Dans ce cas, ce n'est pas une devinette, mais une affaire sérieuse.

– Très sérieuse, Botta. J'essaie de découvrir qui a tué la sœur de Dante. »

Ennio se figea sur le seuil, les tasses à la main, et dit, gêné : « Je n'étais pas au courant, je suis désolé, monsieur Dante. »

Dante sourit et agita la main en guise de remerciement en tirant sur son cigare. Bordelli réintégra la salle de bains. Tout en se savonnant sous la douche, il tournait et retournait dans son esprit l'énigme Pedretti. Il s'habilla et regagna la cuisine : il proposerait à Dante de le déposer quelque part. Mais il le trouva devant l'évier, affublé d'un tablier, rinçant la vaisselle que Botta lavait.

« Merci, commissaire, pas la peine. Je donne un coup de main à Ennio, puis j'irai faire quelques pas.

– Alors, au revoir. Salut, Ennio, je t'ai laissé quelque chose sous le téléphone de l'entrée.

– Bonne journée, commissaire. Quand vous voudrez organiser un autre dîner, n'hésitez pas.

– Bientôt, Ennio, bientôt. Si j'étais plus jeune, je te dirais dès demain. » Avant de sortir, il glissa trois mille lires sous le téléphone. Puis il se ravisa et alla reprendre un billet de mille. Qu'il remit aussitôt après. Il dévala l'escalier en se disant qu'il avait eu une augmentation de salaire.

Mugnai l'accueillit avec un sourire jaunâtre.

« Félicitations, monsieur. Comment dois-je vous appeler maintenant ?

– Appelle-moi comme tu veux, Mugnai, comme tu préfères.

– Alors je préfère simplement "commissaire", c'est trop long "commissaire principal".

– Bien... Ah ! et cette mauvaise odeur dans mon bureau ?

– C'était de la poudre de riz, monsieur. J'ai réglé ça, ajouta-t-il avec un air de connaisseur.

– Merci. »

Bordelli monta dans son bureau, huma l'air et maudit Mugnai. Non seulement l'odeur de poudre persistait, mais il y en avait maintenant une seconde, encore plus fétide. Un coup d'œil à sa corbeille à papier lui en révéla l'origine : un flacon de cire. Il ouvrit tout grand la fenêtre, en quête d'un vent purificateur ; mais l'air était inerte et chaud comme d'habitude. Il s'assit, disposa sur sa table les procès-verbaux et les comptes rendus du meurtre Pedretti Strassen et se replongea dans leur lecture. De temps en temps, il s'en détournait pour réfléchir et secouer la tête. Et comme la pensée de son cousin et de sa mystérieuse maîtresse s'insinuait dans son esprit, il composa le numéro de téléphone du premier.

« Allô ? » répondit une voix au bout de quelques sonneries. C'était une voix de femme, une belle voix.

« Bonjour, je suis le cousin de Rodrigo...

– Ah ! le méchant policier ! répondit la femme avec un rire.

– Oui.

– Rodrigo n'est pas là. Je lui dis de vous rappeler ?

– Peu importe. Je voulais juste prendre de ses nouvelles.

– Il va très bien.

– Je n'en doute pas.

– Je ne vais pas mal, moi non plus. » De nouveau, un petit rire.

« J'en suis heureux.

– Moi aussi.

– Bon, au revoir.

– Au revoir, monsieur le policier. »

Bordelli s'efforça d'imaginer son interlocutrice. Elle avait sans doute de longs cheveux blonds, des yeux de biche, une belle démarche assurée, une démarche éloquente... Ou alors, elle était brune et mince, dotée de jolies jambes et de mains fines, d'un sourire joyeux et de dents éclatantes... Ou encore...

La sonnerie du téléphone l'arracha à cette rêverie.

« Oui ?

– Salut, mon beau commissaire, ta petite Rosa te manque ?

– Salut, Rosa, tu as de la chance d'être à la mer.

– Oh ! chéri, si tu voyais mon bronzage ! Valeria, elle, pèle comme un poivron. Tu sais, nous n'avons pas le même teint. Elle est blanche comme un fantôme... Oh ! j'adore la plage ! Le soir, nous allons de boîte en boîte, nous n'arrêtons pas de danser. »

Bordelli lâcha ses procès-verbaux et se laissa aller contre le dossier de sa chaise. Mais oui, un appel de Rosa, voilà ce qu'il lui fallait. Tout oublier un moment et s'abandonner à la légèreté. La voix sonore de la femme vibrait dans le combiné. Elle était adorable, un ange capable de lui ouvrir la porte de son domicile et de lui préparer un repas à 2 heures du matin. Bordelli alluma sa première cigarette, tandis que Rosa lui racontait mille détails : les voisins de parasol, les plats à base de poissons et de crustacés que lui avait appris le cuisinier de Salerne, les occupants de la pension Petit Éden, son entorse à la cheville...

Il repoussa la pensée du crime qui revenait le harceler : il fallait absolument qu'il mette son cerveau au repos. Rosa énumérait à présent ses aventures marines, aussi détaillées qu'un procès-verbal.

« ... et l'après-midi, vers 15 h 30, nous avons loué trois vélos... si tu voyais les jolis vélos qu'on fabrique maintenant. Le mien était rose et blanc. Devine pourquoi je l'ai choisi.

– Parce qu'il était rose. »

Elle eut un petit rire qui évoquait un sanglot. « Bravo, mon gorille ! Nous avons fait une promenade à bicyclette sur la promenade du bord de mer. Il y avait un tel soleil que j'ai mis un chapeau... tu sais ce chapeau de paille que j'aime tant.

– Bien sûr.

– ... et le soir, je ne te dis pas la faim que nous avions ! Nous sommes allés dans un restaurant sur la plage : hors-d'œuvre à base de moules, spaghettis aux coques et friture de poissons variés. Il y avait là un gros chat qui tournait autour de mes chevilles, un gros chat gris avec deux énormes yeux jaunes... pas gris tigré, gris comme les rats. Il vit dans un restaurant, il doit bien manger. J'ai demandé sa race à un serveur, il m'a répondu qu'on appelle ce genre de chats des chartreux. Si tu voyais son nez ! À mon retour, je prendrai moi aussi un gros chat. Si tu voyais sa tête ! Elle remplissait toute ma paume. Je lui ai donné deux crevettes frites. Ce voyou les a dévorées entières, carapace comprise. Puis il a sauté sur mes genoux et a commencé à ronronner. Tout le monde l'entendait. Si tu voyais le beau poil doux qu'il a... Je lui couvrais la tête de baisers parce qu'il sentait la mer... Tu sais, comme dans la chanson de... comment s'appelle-t-il déjà ? *Sapore di sa-aleeeeee, sapore di ma-areeee*[1]... Comment s'appelle-t-il ? Aide-moi... »

Bordelli se raidit comme une morue.

« Quel idiot ! s'exclama-t-il.

– Mais non, ce n'est pas un idiot, tu confonds avec un autre, je te parle de ce chanteur à lunettes... Tu sais, il est célèbre, *sapore di saaleeeeee*...

– Pardonne-moi Rosa, il faut que te laisse.

– Qu'est-ce qui t'arrive ?

– Rosa, je dois raccrocher.

– Oui, j'ai compris... Est-ce que mes fleurs se portent bien ?

– Elles ne se sont jamais mieux portées. Pardonne-moi, Rosa, je dois vraiment. Salut. » Il raccrocha et se plongea dans ses pensées en transperçant le mur du regard. Sans s'en apercevoir, il alluma une deuxième cigarette, qu'il posa sur le cendrier, avant d'en allumer une troisième, comme un automate. « Quel idiot ! » répéta-t-il. Il saisit le combiné et téléphona chez lui.

« Ennio, c'est moi. Dante est encore là ?

– Oui, commissaire, nous partions.

---

1. « Goût de seeel, goût de meeer », chanson du célèbre compositeur et interprète Gino Paoli, intitulée *Sapore di sale* et enregistrée en 1963.

– Passe-le-moi, s'il te plaît.

– Tout de suite... À propos, commissaire, merci du cadeau, il ne fallait pas.

– N'y pense pas, Ennio, passe-moi Dante.

– Immédiatement... Monsieur Dante, le commissaire veut vous parler. »

La voix tonitruante de Dante Pedretti explosa dans le combiné : « Allô ? Commissaire, nous avons astiqué la cuisine de fond en comble. Je réfléchis à un engin pour bien laver les casseroles. Dès qu'il sera au point, je vous en offrirai un exemplaire.

– Pardonnez-moi, mais j'aimerais que vous me redisiez le contenu du testament de votre sœur, si cela ne vous dérange pas.

– Au téléphone ?

– Au téléphone.

– D'accord. »

Dante s'exécuta.

À un moment donné, le commissaire l'interrompit. « Ça suffit, merci, à bientôt... et merci pour la vaisselle. »

« Tu ne veux pas nous dire ce que nous attendons ? » Diotivede avait ôté ses lunettes, il arpentait la chambre de Mme Pedretti, les mains croisées dans le dos. Il brûlait de découvrir pourquoi Bordelli avait organisé cette visite subite à la villa à 20 h 30. Le soleil se couchait lentement, teintant le ciel d'orange. La chaleur était beaucoup plus supportable qu'en ville. Assis devant le secrétaire, Piras était plongé dans ses réflexions. Pour ne pas le gêner, le commissaire fumait à la fenêtre en consultant sa montre à tout instant. Il avait oublié de prendre un cendrier et il éteignait ses mégots par terre sous le radiateur. Il se jura de se limiter à six ou sept cigarettes, au maximum huit, dès le lendemain. Il n'avait pas encore répondu à la question de Diotivede, qui insista :

« Nous sommes ici depuis une demi-heure. Peux-tu nous dire ce que nous attendons ?

– Pas encore, Diotivede, pas encore.

– Bah !

– Je n'ai pas l'intention de jouer les mystérieux.

– Ah non ?

– Je veux juste être certain de ne pas m'être trompé. As-tu apporté ton microscope ?

– Tu me l'as demandé, donc je l'ai apporté.

– Bien. »

Bordelli ne cessait de surveiller la porte ouverte. Au bout de quelques minutes, il déclara : « Nous y sommes, c'est presque l'heure. Si j'ai vu juste, l'assassin ne va pas tarder à entrer.

– Monsieur, devons-nous éteindre la lumière ?

– Ce n'est pas nécessaire. »

Diotivede chaussa ses lunettes et laissa échapper un sourire. « D'après moi, c'est une plaisanterie. Piras, vous ne savez pas encore qui est vraiment Bordelli. Un casse-couilles.

– Chut, je ne voudrais pas qu'il prenne peur. » Bordelli consulta sa montre encore une fois : « Il est 21 heures précises. Ne parlez pas trop fort. Il va entrer et s'allonger sur le lit.

– Sur le lit ? Qu'est-ce que tu racontes, bordel ? »

Tous se mirent à fixer la porte en retenant leur souffle. Alors que Diotivede avançait, Gedeone apparut sur le seuil. À la vue des trois hommes, il rebroussa chemin, miaula un peu sur le palier, puis revint dans la pièce. Il huma l'air en agitant sa queue comme un fouet.

« Il est nerveux », murmura Bordelli.

Peu à peu le chat se calma et sauta sur le lit, où il s'allongea, les pattes en l'air.

« Et tu voudrais nous faire croire que c'est lui, l'assassin ? lança Diotivede.

– Oui, c'est lui, répondit le commissaire qui rejoignit l'animal et le caressa.

– Je ne comprends pas, monsieur.

– Naturellement, tout cela est involontaire, pas vrai, minou ?

– Le pollen !

– Exactement. Le véritable assassin a saupoudré son poil, entre les omoplates, d'une grande quantité de pollen car il savait que Gedeone rendait visite chaque soir, à 21 heures, à sa maîtresse pour se faire cajoler.

– Le cheval de Troie habituel », commenta Diotivede avec un sourire amer.

Piras abattit son poing sur son front. « Quel idiot ! Comment ai-je pu ne pas y penser ?

– Ce n'était pas facile. J'y suis arrivé par hasard.

– Pourquoi dites-vous que le coupable a placé le poison entre les omoplates ?

– Parce que les chats ne peuvent atteindre cette partie de leur corps ni avec leur langue ni avec leurs pattes. Il était donc certain que le pollen s'accrocherait à ses poils. »

Le commissaire saisit Gedeone des deux mains et le maintint debout sur les draps en lui caressant la tête. «Diotivede, sors ton microscope. Avec un peu de chance, nous en trouverons encore des traces.»

Le médecin se munit d'une spatule minuscule et s'approcha du lit. «Tiens-le bien.» Il préleva un échantillon, qu'il glissa entre deux lamelles, et posa son microscope sur l'abattant du secrétaire. L'œil collé à l'oculaire, il tourna la vis micrométrique de réglage. Au bout de quelques instants, il releva la tête et dit avec un sourire mauvais :

«Tu avais raison.»

Piras sourit à son tour. Bordelli s'offrit une cigarette en récompense. «À présent, notre tâche se simplifie.

– Attends, je ne sais pas encore de quel pollen il s'agit précisément. Il faut que je contrôle. Mais pareille concentration n'a pas pu échouer par hasard dans la fourrure d'un chat.

– Vérifie et transmets-moi ton rapport. C'est du pollen de maté, j'en mets ma main au feu.»

Pendant que le médecin retournait avec joie à son microscope – plus que tout au monde, il aimait épier les mouvements infinitésimaux de la nature –, Bordelli continua de jouer avec le chat. De temps en temps, il retirait sa main car Gedeone le mordait.

«Aïe! Doucement!»

L'animal bondit et se glissa sous les draps, puis il s'élança comme s'il poursuivait une souris.

Planté dans le coin le plus éloigné de la pièce, Piras demanda alors : «Que faisons-nous, monsieur? Nous les convoquons de nouveau?

– Bien sûr. Leur alibi n'a plus aucune valeur.

– Je vous vois bien content, intervint Diotivede. Puis-je vous poser une question ?

– Vas-y.

– Mme Pedretti a été tuée, nous le savions depuis le début. Maintenant nous savons aussi comment, ce qui est un grand pas en avant, je ne le conteste pas. Mais pour inculper quelqu'un, le juge a besoin de preuves, et non d'un grain de pollen dans les poils d'un chat. »

Bordelli songea au juge Ginzillo et à ses infinis scrupules : c'était un arriviste doublé d'un lèche-cul, obsédé par la crainte de se tromper et de ruiner sa carrière. Il fallait toujours se battre avec lui. « Ne sois pas toujours aussi décourageant, Diotivede. La chance nous assistera peut-être. Comme ce soir. »

Le médecin leva les mains en signe de résignation. Il avait rangé ses instruments dans son sac et, à en juger par ses regards, il brûlait de repartir.

« Bien, nous pouvons y aller », dit Bordelli.

Les trois hommes laissèrent le chat jouer sur le lit et sortirent. Dans l'escalier, le commissaire se rembrunit. Diotivede lui saisit le coude et lui dit : « Tu veux mon avis ? La nuit porte conseil.

– Tu as raison, la nuit porte conseil. Piras, je t'attends demain matin à 8 heures, dans mon bureau. »

« Ne perdons pas de temps, Piras. Essayons de reconstruire l'affaire dans ses moindres détails, de A jusqu'à Z. »

Le Sarde était déjà prêt, frais comme une rose. « C'est vous qui commencez, commissaire ? »

Bordelli avait des poches sous les yeux. Entre la chaleur et les moustiques, il n'avait pas dormi de la nuit.

« Vas-y, Piras. Je t'interromprai s'il le faut.

– Bon. L'après-midi du crime, un individu que nous nommerons pour le moment X pénètre dans la villa avec un double des clefs qu'il s'est récemment procuré. Profitant d'un moment d'inattention, il remplace le flacon d'Asmaben de Mme Pedretti par un autre, rempli d'eau, puis descend au jardin, met la main sur le chat, verse le pollen de maté sur son dos et repart. À 21 heures, il se montre au restaurant, puis va danser dans un dancing très fréquenté...

– Tu as oublié la voiture.

– J'y venais. Ce même après-midi, X demande à Salvetti de lui prêter sa Giulietta Sprint sous prétexte qu'il veut faire une excursion à la montagne, mais il le prie de la lui laisser tout de suite car, à son réveil, Salvetti sera déjà parti pour la plage.

– Bon, continue.

– Retournons au dancing. X y arrive à 22 h 30. Il sait qu'il y trouvera Salvetti et sa femme car nous sommes jeudi, et les Milanais ont l'habitude de s'y rendre tous les jeudis, jour où ils laissent leur petit garçon jouer jusqu'à minuit avec le fils d'un voisin. De fait, les amis s'en vont vers minuit. X sait que Mme Pedretti est déjà morte depuis longtemps, ou du moins il l'espère. Il ne lui reste plus qu'à le vérifier et surtout à échanger une nouvelle fois les flacons d'Asmaben. Le dancing étant bondé jusque tard dans la nuit, personne ne remarquera son absence. Il saute dans la Giulietta. Avec une voiture de ce genre, il ne lui faut qu'une heure pour effectuer le trajet. Arrivé à la villa, il constate que tout s'est passé selon son plan. Mme Pedretti est morte et le flacon factice se trouve sur la table de nuit. X échange les flacons, remet le bon à sa place et, dans la hâte, commet une erreur : il oublie de laisser le bouchon dévissé. Puis il regagne le bord de mer, réintègre le dancing où il s'attarde jusqu'à la fermeture. Il se soûle et se fait remarquer. Le lendemain matin, il part en excursion à la montagne. Le soir, il rend la voiture à son ami, après l'avoir lavée et astiquée afin d'effacer toute trace de son voyage nocturne.

– Bien, Piras, ça ne fait pas un pli. Mais essayons maintenant d'entrer davantage dans les détails. »

Piras répéta toute l'histoire en s'attardant sur les points les plus insignifiants : X qui pénètre dans la villa et se cache dans une pièce du rez-de-chaussée en attendant le moment où Rebecca et Maria ne pourront pas le voir ; les gants afin de ne pas laisser d'empreintes ; le flacon authentique délicatement enveloppé dans un mouchoir pour ne pas effacer celles de la victime. La réservation au restaurant, le dancing avec les Salvetti. Enfin X récupère le faux flacon. « Doucement. Imagine que tu es au volant. Que fais-tu ?

– J'arrive à la villa... non, pas à la villa, je cache la voiture quelque part et finis le chemin à pied, car un voisin pourrait remarquer la Giulietta et le rapporter à la police.

– Bien. Nous pouvons maintenant évoquer l'éraflure sur la voiture.

– Vous croyez que...

– La chance est peut-être avec nous, Piras. Allons-y tout de suite. »

Un quart d'heure plus tard, la Coccinelle gravissait en ronflant la colline menant au domicile de Rebecca. De temps en temps, le commissaire tirait sur la cigarette qu'il avait glissée entre ses lèvres sans l'allumer et, chaque fois, l'absence de fumée le décevait.

« Qu'en penses-tu, Piras ? Le crime parfait existe-t-il ? »

Le Sarde ne répondit pas. Il regardait à travers la fenêtre, pensant peut-être que le paysage était bien différent de la plaine du Campidano.

Un kilomètre avant d'atteindre leur destination, Bordelli ralentit et jeta sa cigarette à l'extérieur : il ne voulait pas fumer. « Cherchons une ruelle latérale, Piras.

– Si nous trouvons l'endroit où la Giuletta a été éraflée, les Morozzi seront foutus.

– Même si nous faisons chou blanc, nous gardons l'avantage, non ? Nous savons comment ils ont procédé, et ils ignorent que nous le savons. »

Piras indiqua une route en terre battue qui s'enfonçait dans les champs. Ils descendirent l'examiner, en vain. Ils abandonnèrent la Coccinelle et continuèrent à pied. Il y avait un peu plus loin un vaste emplacement herbeux, mais il était trop proche de la route. En revanche, ils découvrirent à deux cents mètres de la villa une ruelle cailloutée qui semblait parfaitement adaptée. Ils la passèrent au peigne fin sans y trouver ce qu'ils cherchaient.

« C'est peut-être là que l'assassin a garé sa voiture, monsieur. Il n'y a pas mieux.

– Possible, mais nous n'avons pas l'ombre d'une preuve. »

Le soleil brillait haut dans le ciel et, comme d'habitude, il n'y avait pas un souffle de vent. Le commissaire s'assit sur un grand rocher et souleva sa chemise, qui collait à sa peau moite. Il contemplait au loin le bois qui recouvrait la colline de Fiesole : ce lieu dégageait une impression de fraîcheur. Piras continuait à chercher les traces de l'éraflure. Il finit par baisser les bras, lui aussi.

« Monsieur, comment avez-vous pensé au chat ?

– Le hasard, Piras, le pur hasard, mais j'ai tout de suite eu des soupçons.

– Des soupçons ?

– À savoir que l'assassin avait utilisé l'animal. Restaient les alibis. L'individu qui a placé le pollen sur le poil de Gedeone devait être sûr de lui. Si Rebecca mourait trop tôt, il courait un sacré risque, puisque son alibi se limitait à l'heure de la mort. Un assassinat aussi bien préparé devait tenir compte d'un détail de cette importance.

– Exact.

– Il devait donc y avoir une règle justifiant le choix du chat comme meurtrier involontaire. Soudain je me suis rappelé le testament de Rebecca. Dante s'était interrompu à l'endroit même où sa sœur évoquait Gedeone. Je lui ai téléphoné et lui ai demandé de me redire en détail le contenu du testament. Bingo ! Sa sœur parlait beaucoup de l'animal dans son post-scriptum. Elle donnait des instructions concernant ses habitudes alimentaires et chargeait son frère de le remettre à une personne de confiance. Elle insistait pour que ce soit un amateur de chats et l'invitait à ne pas s'inquiéter pour le cas où il ne le trouverait pas dans le jardin. C'était un mâle adulte, il se promenait tout le temps, mais chaque soir, sans exception, à 21 heures précises, il venait dans sa chambre. L'assassin devait bien le savoir. »

Piras secoua la tête en grimaçant. « C'est dégoûtant.

– Pauvre chat, on l'a utilisé comme un Judas. »

Ils reprirent leur marche. Mais il n'y avait plus de ruelles ni de placettes où l'assassin avait pu cacher sa voiture.

« Notre chance a brûlé toutes ses cartouches, Piras. Nous devons nous contenter de ce que nous avons. »

« Mesdames, messieurs, nous avons la certitude que Mme Rebecca Pedretti Strassen a été assassinée », commença Bordelli. Anselmo déglutit, un sourire hébété sur les lèvres.

« Vous nous l'aviez déjà dit, n'est-ce pas ?

– Oui, mais je ne vous avais pas dit que vous étiez les coupables.

– Elle est bien bonne ! lança Angela.

– Nous ignorons encore qui de vous a agi, mais nous l'apprendrons très vite. »

Les Morozzi s'agitèrent sur leurs chaises. « C'est absurde !

– Je ne peux pas le croire...

– Insensé !

– Un moment ! Calmez-vous et laissez-moi terminer. » Le commissaire se leva, contourna son bureau et, déplaçant une liasse de papiers, s'assit sur un coin, juste à côté de Gina. L'odeur douceâtre de farine de châtaignes assaillit ses narines. Il jeta un coup d'œil à Piras, assis devant la machine à écrire, l'air grave, puis consulta sa montre. « Je vais vous donner un conseil d'ami. Il est 16 heures. Si vous avouez tout de suite, vous vous épargnerez un tas de problèmes et le juge en tiendra peut-être compte. Sinon...

– Sinon ? s'exclama Angela.

– Sinon, je vous garde ici et je vous interroge l'un après l'autre tout le temps qu'il faudra, jusqu'à ce soir ou même jusqu'à demain, ou encore pendant trois jours d'affilée. Choisissez.

– Nous vous avons tout dit ! protesta Gina en essayant de sourire.

– Nous ne sommes pas des assassins ! affirma Anselmo.

– Comme vous voulez. Voici le téléphone. Appelez tous les avocats que vous souhaitez. »

Tandis qu'Anselmo composait un numéro, Bordelli rejoignit Piras et dit assez haut pour être entendu : « Prépare un beau tas de feuilles, je crois que nous passerons la nuit ici.

– D'accord. »

Me Santelia se présenta une demi-heure plus tard. Cent kilos, des yeux bleus pénétrants et le visage d'un enfant complexé, il sentait la sueur et l'eau de Cologne. Il serra la main de ses clients et lança un regard sévère aux policiers.

« Que les choses soient bien claires, commissaire. Avez-vous déjà formulé une accusation précise ? Sinon...

– Tout est en règle, maître, j'interroge des suspects en présence de leur avocat.

– Bien sûr, bien sûr, je disais que... bref, poursuivons, quel est le chef d'accusation ?

– Assassinat.

– Sur quoi vous fondez-vous ?

– Sur des indices très convaincants, maître. Et maintenant, si cela ne vous dérange pas, je voudrais commencer. »

Bordelli alluma une cigarette et s'appuya confortablement contre le dossier de sa chaise.

« Tu es prêt, Piras ?

– Prêt, monsieur.

– Bien. »

Les interrogatoires individuels débutèrent. Chaque suspect attendait son tour dans une pièce. Après les avoir entendus tous les quatre, Bordelli recommençait. Son cendrier se remplissait à vue d'œil, et Piras soupirait, résigné à respirer cet air malsain, pressant les touches avec deux doigts : Q., R., Q., R., mêmes questions, mêmes réponses. Surtout l'une d'elles.

« Voyons, nous étions au bord de la mer à cette heure-là ! Tout le monde nous a vus ! »

S'ensuivait aussitôt l'ennuyeux cliquetis de la machine à écrire. Assis comme s'il posait devant un sculpteur, Me Santelia fixait son client et en fermant les yeux à demi l'autorisait à répondre. À un moment donné, il déclara que la question n'était pas pertinente, et Bordelli lui répondit de garder sa phrase pour le procès.

« Quel procès ? Je ne savais pas qu'on intentait des procès contre les innocents, en Italie. »

Il y eut deux ou trois autres prises de bec agaçantes et inutiles ; mais pas grand-chose au fond. Lors d'un des nombreux interrogatoires de Giulio, l'avocat protesta :

« Il est 21 heures, commissaire. Vous n'avez tout de même pas l'intention de fouler aux pieds les droits de mes clients ! Ils ont faim ! Et moi aussi, d'ailleurs.

– Vous avez raison. » Bordelli demanda à Mugnai de rassembler les suspects dans son bureau, puis d'aller leur acheter des sandwiches.

« Pour moi, une bière fraîche, ou plutôt deux, lança l'avocat.

– Pas de bière. De l'orangeade pour tout le monde ! » répliqua le commissaire.

Mugnai revint un quart d'heure plus tard, muni d'un sac de provisions. Piras dévora ses sandwiches en l'espace de quelques secondes, même si les bords étaient secs et le jambon aussi dur que du carton. Bordelli, en revanche, y renonça après la première bouchée. Il alluma une cigarette et observa les deux couples qui mâchaient laborieusement. Un instant, il éprouva de la peine pour eux et se demanda s'ils étaient vraiment coupables, si l'assassin n'avait pas agi pour un autre mobile et s'il ne courait pas au même moment, indifférent à l'héritage. Puis il posa les yeux sur le visage sérieux de Piras et comprit qu'il était sur le point de résoudre l'affaire.

Gina et Angela s'efforçaient de ne pas gâcher leur maquillage. Elles plantaient les dents dans le pain en écartant les lèvres et en découvrant les gencives, puis refermaient la bouche et mastiquaient, les lèvres jointes. On aurait dit deux folles. Mais leur tranquillité avait l'allure de l'innocence.

Bordelli brûlait de se coucher. Or il devait interpréter jusqu'au bout le rôle du policier obstiné : ce n'était pas le moment de céder. L'avocat mangeait à grandes bouchées avec un dégoût qu'il ne prit pas la peine d'exprimer. D'un geste, il balaya les excuses du commissaire : « Ces sandwiches viennent du bar. On les prépare le matin, et avec cette chaleur...

– Vous avez un décapsuleur ? interrogea-t-il en saisissant une bouteille d'orangeade.

– Donnez-moi ça, je vais l'ouvrir. »

L'avocat s'exécuta et le commissaire s'acquitta comme d'habitude de cette tâche avec ses clefs. Tant qu'il y était, il les ouvrit toutes avant de déclarer : « Remettons-nous au travail. »

L'air était devenu irrespirable. La fenêtre grande ouverte n'avait qu'une seule utilité : permettre de voir le soir tomber. Il n'y avait pas un souffle de vent.

Vers 22 heures, profitant de la lassitude et de l'inquiétude qui s'étaient peintes sur le visage des suspects, Bordelli laissa entendre qu'il en savait plus long qu'il ne le disait. Il jeta là des affirmations comme si de rien n'était.

« L'autopsie a établi qu'il n'y avait aucune trace d'Asmaben dans le sang de votre tante, mais une grande quantité sur sa langue. Comment expliquez-vous cela ?

– Je ne suis pas médecin ! répliqua Anselmo.

– Madame Morozzi, savez-vous ce que nous avons trouvé sur les poils de Gedeone ? »

Gina secoua la tête, apparemment incrédule. « Gedeone ? Qu'est-ce que ça signifie ?

– Ne posez pas de questions inutiles, commissaire, lança l'avocat. Venez-en au fait.

– J'en suis au fait, maître. Le pollen de maté retrouvé dans la fourrure du chat signifie que l'alibi de vos clients n'a pas plus de valeur qu'une crotte de rat. C'est clair ? »

Au fil des heures, la fatigue et la nervosité augmentaient. Le commissaire avait déjà rempli et vidé le cendrier deux fois, démentant toutes ses bonnes intentions, ce qui le troublait quelque peu. Les yeux rouges, écœuré, Piras se penchait à la fenêtre pendant les pauses pour respirer.

À minuit, Anselmo fut saisi d'un élan de rage. Irrité par une question, il bondit sur ses pieds et fit mine de renverser la table. Santelia le repoussa sur sa chaise par la force et, lui pressant l'épaule d'une main, murmura quelques mots à son oreille.

Désormais le cliquetis de l'Olivetti Lettera 22 insupportait tout le monde. Bordelli, par exemple, avait l'impression que l'on dactylographiait le procès-verbal directement sur ses tempes. Seul l'avocat demeurait indifférent à ce tourment. Il s'endormait de temps en temps en émettant un ronflement et se réveillait chaque fois, les yeux rapetissés.

« N'avez-vous pas le sentiment d'exagérer, commissaire Bordelli ? Nous ne sommes tout de même pas à Nuremberg !

– Je regrette, je n'ai pas terminé.

– Vous n'allez pas nous garder toute la nuit, j'espère !

– Vous pouvez vous en aller si vous le souhaitez.

– C'est incroyable !

– Je vous en prie, laissez-moi travailler. »

Ces interruptions se multiplièrent, de plus en plus irritantes. Bordelli suggérait gentiment à l'avocat de ne pas l'interrompre. Vers 3 heures du matin, à bout de patience, il le chassa et pointa le doigt sur Giulio qui, isolé, évoquait un enfant au bord des larmes.

« Tu sais comment cette histoire va se terminer ? Tu vas payer pour tout le monde, mon cher Giulio ! Et tu sais pourquoi ? » Il était passé au tutoiement sans prendre de gants : cela faisait partie de sa comédie.

Pendant ce temps, l'avocat braillait dans le couloir, énumérant un certain nombre d'articles du code pénal et hurlant qu'il porterait plainte auprès du juge, tandis que Mugnai tentait en vain de le calmer. Il y eut un bruit de chaises, et de nouveau la voix puissante de Santelia s'éleva.

« Au moins, apportez-moi une bière ! J'ai soif, putain ! »

Giulio se passa une main sur les yeux en tremblant et en bredouillant. Bordelli, que ce désordre insupportait, se pencha dans le couloir et dit : « Bon sang, Mugnai ! Va lui acheter une caisse de bières et qu'il se taise ! » Il claqua la porte et rentra dans la pièce. Se plaçant derrière le suspect, il posa les mains sur ses épaules.

« J'attends un coup de téléphone, cher Giulio. Ou plutôt, nous l'attendons tous les deux. Ça ne devrait pas tarder.

– Un... coup de téléphone ?

– Ne sois pas si pressé, tu sauras bientôt. »

Le calme était enfin revenu dans le couloir. Santelia avait probablement décidé d'attendre en silence ses maudites bières. Bordelli adressa à Piras un signe de tête complice, et aussitôt le Sarde demanda l'autorisation d'aller aux toilettes. Bordelli cligna de l'œil. « Vas-y, mais dépêche-toi », lui dit-il en simulant une certaine irritation. Une minute plus tard, le téléphone sonnait, et il saisit le combiné. « Oui ? »

La voix de Piras s'éleva, métallique, à l'autre bout du fil. « Me voici, monsieur. C'est fait. Je raccroche et je reviens. Si c'est bien ce que vous voulez, dites-moi oui.

– Oui, bien sûr... bien sûr... », répondit Bordelli qui continua de parler dans le vide après que le Sarde eut raccroché. L'air sérieux et attentif, il jetait de temps en temps un coup d'œil au gros visage de Giulio, tout transpirant. « Comment ? Ah oui, évidemment, comme je le pensais. La voiture de Salvetti aussi ? Parfait, je n'en doutais pas. Et que me dis-tu de l'éraflure sur la Giulietta ? Bien, j'avais vu juste. Oui, bien sûr. Envoie-moi ton rapport dès que tu pourras. Salut. »

Il raccrocha et alla s'asseoir confortablement sur sa chaise, puis alluma une cigarette et croisa les mains derrière la nuque.

« Bien, très bien, nous pouvons tous aller nous coucher, annonça-t-il avec un sourire.

– Pourquoi ? demanda Giulio, qui avait blêmi.

– Tes empreintes, mon cher Giulio. Tes empreintes sur le flacon d'Asmaben. Elles sont aussi nettes qu'une photo.

– Mes empreintes ?

– Oui, Giulio. Et nous en avons retrouvé aussi dans la Giulietta Sprint de Salvetti. Mais ce n'est pas tout. » Bordelli observa une pause, souffla une bouffée de fumée vers le plafond et posa de nouveau le regard sur Morozzi. « Nous avons la preuve que la voiture de Salvetti a été éraflée dans une ruelle, près de la villa de ta pauvre tante. Et tu sais ce que ça signifie ? Que mon travail est terminé. Un meurtre, un assassinat. Pour moi, c'est plus que suffisant. Ou plutôt, c'est mieux. Je ferme boutique et je vais me coucher. Pour toi, en revanche, les problèmes commencent.

– Pour moi ? Quoi ?

– On te condamnera à perpétuité, cher Giulio. Tu le sais, non ? Tu resteras au trou jusqu'à la fin de tes jours, pendant que les trois autres auront la belle vie, aussi libres que des oiseaux. Bien sûr, ils te rendront visite à la Noël, ils t'apporteront de magnifiques oranges enveloppées dans du papier d'argent. Cette idée te plaît ? »

C'est alors que Piras entra. Bordelli lui lança, l'air mauvais : « Il te faut tout ce temps-là pour pisser ? Je t'avais dit de te dépêcher. »

Le Sarde tourna la tête sur le côté pour masquer son sourire et adopta une voix appropriée à la scène. « Excusez-moi, monsieur, mais je n'avais pas que la petite commission à faire », ajouta-t-il avant de se ruer sur la machine à écrire. Bordelli écrasa le mégot dans le cendrier plein et s'accouda à sa table. Dégainant un sourire aimable, il reprit :

« Tu sais, Giulio, je ne trouve pas ça juste que tu paies pour tout le monde. Je veux te donner un coup de main. Voilà ce que nous allons faire, je te laisse une dernière chance : soit tu me dis tout maintenant, soit je classe l'affaire telle quelle. Tu te retrouveras alors en prison, alors que les autres seront libres. Prends ton temps pour choisir. Tu as encore... » Il ôta sa montre et la posa au milieu de sa table. « ... Disons trois minutes. À partir de maintenant. »

Il alluma une autre cigarette et se laissa aller contre le dossier en fredonnant une chanson. Giulio ouvrit la bouche, mais ne parvint pas à parler. Alors il se tourna vers Piras, qui accueillit son regard sans broncher. Au bout d'un moment, le commissaire consulta sa montre.

« Encore deux minutes », dit-il avant de se tourner vers la fenêtre. Il aurait aimé distinguer dans le ciel une étoile filante, parmi les millions d'astres visibles, afin de faire un vœu. J'aimerais revoir Elvira, pensa-t-il.

Giulio s'effondra peu après. Il commença par se gifler en produisant d'étranges bruits de gorge, puis fondit en pleurs comme un enfant. Ce fut une scène pénible. Il était difficile de le comprendre car il émettait des mugissements et des mots désordonnés.

« La sorcière... c'est elle... salope... je le disais bien... sa faute à elle... je le disais bien... »

Bordelli remit sa montre et, d'un geste, freina Piras. « De qui parles-tu, Giulio ? Quelle femme ? »

Giulio s'essuya le nez avec ses doigts.

« Elle... Gina !

– Gina est la femme de ton frère, n'est-ce pas ?

– Oui, c'est elle qui a tout organisé... J'avais beau dire que ça ne pouvait pas marcher... c'est elle... elle. »

Bordelli se leva, traîna sa chaise près de Giulio et s'assit.

« Je vais te poser une question, Giulio, et je te demande une réponse précise. Tu es prêt ?

– Oui.

– Vous étiez tous d'accord ?

– C'est elle, monsieur le commissaire. C'est elle qui a tout organisé.

– Bien sûr. Mais tu étais au courant et tu n'as rien fait pour l'en empêcher, n'est-ce pas ?

– Oui, ou plutôt non... je n'ai rien fait, ce n'était pas moi.

– D'accord, ce n'est pas toi. Mais si vous étiez parvenus à vos fins, vous auriez tous touché une partie de l'héritage, non ? »

Giulio garda le silence. Il bavait et hoquetait. Le commissaire rapprocha sa chaise et adressa un signe à Piras. L'horrible cliquetis s'insinua une nouvelle fois dans ses oreilles.

« Ta femme et ton frère savaient ?

– Oui, ils savaient, et moi aussi je savais, mais c'est Gina qui s'est occupée de tout.

– De tout ? Reprenons tout par le début. Qui a échangé les flacons ?

– Gina.

– Qui a mis le pollen sur le pelage de Gedeone ?

– Gina.

– Bien. Et qui est retourné de nuit à la villa pour échanger une nouvelle fois ces mêmes flacons ? Toujours Gina ? »

Les traits de Giulio s'affaissèrent définitivement.

« Non. C'est mon frère.

– D'accord. Ils sont coupables, mais ta femme et toi étiez au courant, n'est-ce pas ?

– Oui.

– Une autre chose. Est-ce vous qui avez introduit de la nitroglycérine dans la bouteille de Dante ?

– C'était une idée à elle, de Gina... Je savais que ça se terminerait mal... je le savais ! » Il plongea son gros visage entre ses mains et se mit à gémir comme un chiot.

Bordelli soupira. C'était vraiment une sale affaire, une affaire sordide.

« Bien. Appelle-les tous, Piras. Leur avocat aussi. Annonçons cette belle nouvelle et allons nous coucher. »

« Alors, Rosa, comment ça se passe avec le chat ? »

C'était le soir du dernier dimanche de septembre. Bordelli était confortablement allongé sur le canapé de son amie, devant une fenêtre ouverte sur le quartier. Après s'être déchaussé, il sirotait une mixture désaltérante. Très bronzée, très décolletée, les bras couverts de bracelets bruyants, Rosa répondit :

« Gedeone est un amour. Je ne pourrais pas vivre sans lui.

– Je suis content que vous vous soyez liés d'amitié. Où est-il à présent ?

– Je lui laisse la porte de la terrasse ouverte pour qu'il puisse se promener à sa guise sur les toits. Tu ne vas peut-être pas me croire, mais il vient ronronner contre moi tous les soirs à 21 heures. C'est un amour... Pourquoi refuses-tu de me dire où tu l'as trouvé ?

– Je te l'ai déjà dit. Il est venu un soir frapper à ma porte et m'a demandé de lui présenter une femme merveilleuse. »

Rosa pencha son visage sur le côté en souriant sous l'effet de l'embarras et du plaisir.

« Tu es un sacré menteur, cher commissaire, mais c'est bien pour ça que tu me plais... Allez, dis-moi.

– C'est un ami qui me l'a donné. Il ne pouvait pas le garder.

– Pourquoi ça ?

– Sa maison est bourrée de rats.

– Ce que tu peux être bête !

– Cette fois, c'est la vérité.

– Mais oui, je te crois.

– Je te le dis, c'est vrai. »

Rosa passa un doigt sur le doigt de l'homme. « D'accord, j'ai compris, tu veux jouer les mystérieux.

– Non, voyons.

– Alors reparle-moi du juge, il me fait mourir de rire... Qu'est-ce que tu lui as dit, déjà ?

– Je te l'ai déjà raconté au moins dix fois, tu n'en as pas marre ?

– Non, recommence. »

Bordelli avala une gorgée et alluma une cigarette.

« J'entre dans le bureau de Ginzillo. Il m'indique une chaise, l'air très nerveux. Puis il me dit, les yeux dans les yeux : "Savez-vous qu'il est illégal d'interroger un suspect en l'absence de son avocat ?" Je réponds : "Bon, dans ce cas portez plainte contre moi." »

Comme les fois précédentes, Rosa éclata de rire. Bordelli poursuivit son récit. Les images du procès Morozzi revinrent à son esprit comme des flashs : quatre peines de réclusion à vie. Santelia avait essayé d'obtenir une réduction de peine pour Giulio et Angela, gesticulant sous sa toge pendant une bonne demi-heure, abattant de temps en temps le poing sur son banc. En vain. Malgré la chaleur insupportable, la salle était bondée, sans doute parce que la presse avait accordé beaucoup de place à l'affaire. La photo de Piras s'était retrouvée dans le journal : « Le jeune agent Piras, déterminant dans la résolution de l'affaire. »

Pendant le procès, Dante entrait dans la salle, vêtu de son habituelle blouse blanche constellée de taches de gras. Il s'asseyait au dernier rang et suivait attentivement les débats, peut-être plus intéressé par les hommes que par le verdict. Personne ne s'était hasardé à lui demander d'éteindre son cigare nauséabond. Parce qu'il était extravagant, il attirait photographes et journalistes qui l'assaillaient comme une star du cinéma. Mais il les ignorait. Après le verdict, il s'était levé et avait tourné les talons sans un mot.

« Cher commissaire, lui avait-il dit au téléphone quelques jours plus tard, mes rats sont très inquiets. Aidez-moi à trouver une femme merveilleuse pour prendre soin de Gedeone. » Bordelli lui avait rendu visite le soir même. Il avait attrapé le chat et l'avait conduit chez Rosa, qui l'avait adopté à l'instant même.

« Alors, tu rêves ? » Rosa agitait une main devant ses yeux.

« Pardon, où en étais-je ?

– J'ai compris, tu as besoin de quelque chose de fort. »

Pendant qu'elle saisissait son verre et partait à la recherche d'une bouteille d'alcool, Bordelli vit surgir dans son esprit le visage d'Elvira. Ce n'était pas nouveau. Elle troublait son sommeil chaque nuit en marchant, pieds nus, sur le parquet et en fixant sur lui ses magnifiques yeux perçants.

C'était un soir comme tant d'autres. Bordelli somnolait sur le canapé de Rosa, choyé comme un enfant. Il contemplait le ciel à travers la fenêtre ouverte en poursuivant ses rêves. Il ne pouvait pas savoir que, quelques mois plus tard, un crime monstrueux le mènerait au parc de la villa Il Ventaglio.

C'est alors qu'une étoile filante raya le ciel. La tonnelle de passiflore de ses tantes lui revint à l'esprit, et Annina se pencha pour embrasser un garçon triste : « Salut, petite torpille. »

Remerciements

Je remercie mon père, qui s'est battu à l'âge de vingt ans contre les nazis et qui m'a raconté, lorsque j'étais enfant, la plupart des épisodes de guerre présents dans ce livre, tandis que je l'écoutais, bouche bée, en tremblant d'admiration et de peur. J'aime penser que c'est grâce à ces récits passionnés et parfois terribles que j'écris aujourd'hui des romans. S'il était vivant, il serait sans doute heureux de constater que ces histoires vivent dans un livre.

Je remercie Véronique d'avoir inventé le nom du commissaire.

Je remercie aussi ma cousine Francesca d'avoir vérifié la plausibilité scientifique de ces pages.

Je remercie Franco car c'est chez lui que j'ai écrit cet ouvrage.

Cet ouvrage a été achevé d'imprimer
en février 2015 dans les ateliers de
Normandie Roto Impression sas
61250 Lonrai

N° d'imprimeur : 1500663
Dépôt légal : mars 2015
ISBN : 978-2-84876-453-5
Imprimé en France